CB076875

Descontentamento
SANTO

BILL HYBELS

Descontentamento
SANTO

frustrações que impulsionam à mudança de vida

Tradução

Maria Emília de Oliveira

Vida

Vida

EDITORA VIDA
Rua Conde de Sarzedas, 246 - Liberdade
CEP 01512-070 - São Paulo, SP
Tel.: 0 xx 11 2618 7000
atendimento@editoravida.com.br
www.editoravida.com.br

©2007, by Bill Hybels
Título original
Holy Discontent
edição publicada por
ZONDERVAN, Grand Rapids, Michigan

■

*Todos os direitos em língua portuguesa reservados por
Editora Vida.*

PROIBIDA A REPRODUÇÃO POR QUAISQUER MEIOS,
SALVO EM BREVES CITAÇÕES, COM INDICAÇÃO DA FONTE.

■

Editor responsável: Sonia Freire Lula Almeida
Revisão técnica: Associação Willow Creek
Revisão de provas: Polyana Lima
Assistente editorial: Alexandra Nascimento Resende
Projeto gráfico e diagramação: Set-up Time
Capa: Arte Peniel

Todas as citações bíblicas foram extraídas da
Nova Versão Internacional (NVI),
©2001, publicada por Editora Vida,
salvo indicação em contrário.

1. edição: 2008
1ª reimp.: ago. 2012
2ª reimp.: set. 2015
3ª reimp.: maio 2018

Dados Internacionais de Catalogação na Publicação (CIP)
(Câmara Brasileira do Livro, SP, Brasil)

Hybels, Bill
Descontentamento santo : frustrações que impulsionam à mudança de vida / Bill
Hybels ; tradução Maria Emília de Oliveira. — São Paulo : Editora Vida, 2008.

Título original: *Holy Discontent*
Bibliografia.
ISBN 978-85-383-0069-4

1. Figuras de linguagem 2. Meta (Psicologia) 3. Motivação (Psicologia) - Aspectos religiosos - Cristianismo 4. Vida cristã 5. Visualização I. Título.

08-05835   CDD-248.4

Índice para catálogo sistemático:
1. Mudança de vida : Vida cristã : Cristianismo 248.4

Entre as muitas alegrias de minha vida,
há duas que ofuscam todas as outras
e alcançam tal nível que deixam quase emudecido
este escritor/orador profissional — meus dois filhos.

Desde o instante em que nasceu,
Shauna tomou conta de meu coração.
E Todd me faz sentir
o pai mais orgulhoso do mundo.

Lynne e eu costumamos dobrar os joelhos
e murmurar agradecimentos a Deus.
Este livro é dedicado a eles.

Sumário

Agradecimentos   9

Parte I

Campos egípcios de escravidão e outros
lugares sutis de esconderijo

Onde encontrar o descontentamento santo

1. A pergunta que deu origem a tudo   13

2. Gente como Popeye   29

3. Aquela "coisa única"   47

Parte II

Três mudanças contrárias à nossa reação instintiva

Como desenvolver o descontentamento santo

4. Alimentando a frustração   63

5. Uma luta digna de ser enfrentada   75

6. Aonde quer que ele o leve e todas as vezes que o levar   91

Parte III

Atiçando o fogo

O segredo para manter vivo o descontentamento santo

7. Modo de vida magnético	107
8. O propósito da esperança	119

Pós-escrito: Não pode terminar assim!	129
Informações úteis	135

Agradecimentos

Algumas idéias se aclaram com muita rapidez. Outras, porém, não cooperam tanto assim conosco. *Descontentamento santo* exigiu um período equivalente a duas gestações, mas, felizmente, contei com o apoio de pastores do mundo inteiro para dar vida à premissa principal deste livro. Sou grato a todos eles.

Quando uma editora chega a ponto de demonstrar um entusiasmo sem limites a respeito de um livro sobre *frustração*... bem, isso deve ser obra de Deus. Meus sinceros agradecimentos ao pessoal da Zondervan.

E, finalmente, sou grato à minha colega de ministério e consultora criativa, Ashley Wiersma, que colabora comigo em livros, congressos, vídeos e outros projetos, com o propósito de proclamar o Reino.

Parte I

Campos egípcios de
escravidão e outros lugares
sutis de esconderijo

**Onde encontrar o
descontentamento santo**

A pergunta que deu origem a tudo

A pergunta perturbou-me durante dois longos anos. Talvez você saiba do que estou falando: é o tipo de pergunta capaz de causar insônia e desviar a atenção quando estamos tentando concentrar-nos na solução de outros problemas. Ela se agarra ao último nervo de nosso corpo que ainda não entrou em colapso e não desgruda dele enquanto não encontramos a resposta. Esta foi a pergunta que desestruturou meu mundo durante aquele período:

> *O que motiva as pessoas a trabalhar onde trabalham, a dedicar tempo a grupos com os quais colaboram e a doar dinheiro para as causas que defendem?*

Aí está! Essa era a minha pergunta "perturbadora".

Em palavras mais simples: *Por que as pessoas fazem o que fazem?*.

Aos principiantes vamos falar do tema da vocação. Você já parou para pensar por que os construtores constroem, por que os escritores escrevem, por que os professores ensinam ou por que os pintores pintam? Explicando melhor, que motivo leva essa gente a dedicar grande parte de suas horas de vigília a ocupações desse tipo? Francamente, acho que a resposta "para ganhar o pão de cada dia" é simples demais, porque há um número assustador de pessoas doando grande parte de seu tempo e energia a funções e responsabilidades que não lhes rendem um centavo sequer.

Estima-se que, no período de um ano, os americanos adultos dedicam aproximadamente 20 bilhões de horas a trabalhos voluntários. Tenho muitos amigos que ocupam posições de liderança em hospitais, ministérios, grupos sem fins lucrativos, escolas, instituições de caridade e outras entidades de caráter social, e todos afirmam que o empreendimento fracassaria sem o trabalho voluntário. O valor anual em dólares de todo esse tempo doado, caso você esteja interessado, é de cerca de 225 bilhões,[1] isto é, mais ou menos o valor do PIB de um país do tamanho da Áustria.[2] Se acrescentarmos a essa quantia as centenas de milhões em espécie doados anonimamente às causas sociais, ano após ano, as coisas tornam-se mais interessantes ainda.

Com tantas pessoas envolvidas em atividades positivas, com a finalidade de tornar o mundo melhor, a parte insaciavelmente inquisitiva de minha personalidade quer saber apenas uma coisa: *Por quê?.*

Conforme mencionei, perguntas como essa martelaram minha cabeça durante um longo período de vinte e quatro meses. Comecei a duvidar se encontraria a resposta, mas, de repente, as idéias começaram a clarear.

---

[1] Disponível em: <http://www.networkforgood.org/volunteer/volunteertradition.aspx>.

[2] Idem: <http://www.eu-esis.org/Basic/ATbasic00.htm>.

A motivação latente de Moisés

Muitas pessoas que conheço recorrem a várias disciplinas para obter um pouco de paz ou um propósito na luta do dia-a-dia. Você deve ter as suas, mas existe uma que adotei há várias décadas: ler um pequeno trecho da Bíblia todas as manhãs. Devo admitir que nem sempre recebo dividendos imediatos; há dias em que, depois de cumprir fielmente meu dever durante 15 minutos, a vida prossegue sem mudanças aparentes.

Há, no entanto, ocasiões em que essa prática tão simples serve para arejar-me a mente, transmitir-me coragem e levantar meu ânimo. As palavras parecem *saltar* da página!

Este foi um daqueles dias.

Eu estava lendo o livro de Êxodo quando deparei com uma passagem interessante sobre Moisés, um dos maiores líderes que o mundo antigo conheceu. Talvez você esteja a par da história; eu também pensei que estivesse, mas houve um pormenor que me chamou a atenção no dia: finalmente descobri o *motivo latente* que deu impulso à principal realização na vida de Moisés — tirar seu povo do cativeiro e conduzi-lo à terra prometida.

Antes de tudo, permita-me reler a narrativa no livro de Êxodo. O texto diz: "Certo dia, sendo Moisés já adulto, foi ao lugar onde estavam os seus irmãos hebreus e descobriu como era pesado o trabalho que realizavam".[3] (Uma nota rápida para entendermos o contexto: Moisés fora criado no Egito pela filha adulta do faraó e, sem dúvida, estava acostumado aos privilégios proporcionados por aquele ambiente: riqueza, educação e liberdade. Apesar de viver cercado dos requintes egípcios, Moisés sempre soube que não era um egípcio *verdadeiro*. Era hebreu de nascimento — um judeu vivendo "acidentalmente"

---

[3] 2.11.

como egípcio. Por isso, quando o texto diz que Moisés viu "seus irmãos hebreus" realizando um trabalho pesado, refere-se a seus compatriotas, um grupo levado cativo para o Egito havia mais de quatrocentos anos.)

O faraó e seus comandados estavam construindo uma próspera economia à custa do trabalho escravo dos hebreus. A carga imposta pelos egípcios era implacável — dia após dia, os homens hebreus trabalhavam sem direito a nada, e o fio de esperança em relação ao futuro desaparecera no trabalho exaustivo sob o sol escaldante do meio-dia, enquanto fabricavam tijolos para os megaprojetos de construção do faraó. O povo de Moisés chegara a ponto de aceitar o sofrimento como "normal", acreditando que não havia nada a fazer para mudar a situação.

É nesse contexto que encontramos Moisés examinando o local, com o coração compreensivelmente pesado ao ver, pela primeira vez, a opressão repulsiva imposta a seu povo. A situação perturbadora torna-se mais angustiante ainda quando Moisés vê um egípcio espancando um hebreu — um homem pertencente a *seu* povo. Ser tratado como escravo já era demais, porém agora Moisés via um irmão sendo maltratado fisicamente. Uma injustiça tão grande assim não triunfaria diante de seus olhos! Moisés precisava fazer *alguma coisa*.

Neste ponto, vou apertar o botão "Pausa" e congelar a cena por alguns instantes para pedir a você que se lembre da última vez em que presenciou uma agressão física. Não estou falando de cenas mostradas no cinema ou no teatro. Estou falando de agressão *real*... bem perto de você.

Espero que nunca tenha presenciado tal cena; vi apenas uma em toda a minha vida, e gostaria de apagar da memória aquelas imagens medonhas. Eu era adolescente e estava em frente a meu armário no corredor da escola, em Kalamazoo, Michigan. De repente, percebi uma agitação um pouco adiante. Olhei para a direita e vi a cena desenrolar-se diante de meus olhos. Um garoto — provavelmente calouro — estava arrumando seus pertences quando um aluno mais velho, duas vezes maior que ele, começou a provocá-lo. O aluno mais velho era um brutamontes e tinha um sorriso irônico. Derrubou os livros do garoto no chão e começou a humilhá-lo, gritando: "Pegue tudo... Já! Pegue tudo isso aí!!".

Os gritos eram tão altos que chamaram a atenção de um grupo de alunos. Angustiado, o garoto começou a ajuntar os livros, e o grandalhão passou a ofendê-lo verbalmente, questionando sua masculinidade, ridicularizando-o, falando mal de sua família, sua criação e de tudo o mais que lhe veio à mente. Quando o garoto conseguiu levantar-se, com os braços retesados pelo peso dos livros que acabara de recolher do chão, o grandalhão dobrou-lhe o braço direito e deu-lhe um soco no meio do rosto.

Ainda ouço o ruído do soco atingindo o nariz do garoto e o som de dentes quebrados. Ele estava a poucos metros de mim. Ainda sinto a hostilidade e a fúria no ar. Ainda vejo o sangue grosso espirrando no armário marrom-claro atrás dele e pingando no piso branco.

Embora a cena toda tivesse, aparentemente, passado em câmera lenta, o que aconteceu na realidade foi tão rápido que nenhum de nós tomou uma atitude para interromper a agressão. Finalmente, três colegas meus decidiram investir contra o grandalhão e o afugentaram dali antes que ele pudesse causar um problema permanente ao calouro. Foi uma experiência horripilante — e infelizmente jamais me esquecerei dela.

Ajudando a consertar um mundo quebrado

É *insuportável* presenciar espancamentos, e as pessoas normais não esquecem tão cedo a cena pavorosa e os sons medonhos que a acompanham. Esse é exatamente o evento intolerável que Moisés presencia em Êxodo 2 quando vê um egípcio espancando um hebreu. Ele não consegue suportar a cena terrível, os sons angustiantes e o sangue espirrando por toda parte. A injustiça da situação é grande demais para Moisés tolerar. De repente, uma sensação estranha toma conta dele.

O texto diz que depois de correr "o olhar por todos os lados"[4] e não ver ninguém, Moisés saiu em defesa de seu irmão hebreu. Agarrou o egípcio e arrancou o hebreu das mãos dele, e isso provocou uma luta entre os dois... até o egípcio ser morto. Horrorizado, sem dúvida, com sua capacidade de cometer tal violência, Moisés enterrou o egípcio na areia e afastou-se rapidamente do local.

Naquele mesmo dia, Moisés presenciou outra briga, desta vez entre seu povo. O que ele viu o deixou muito abalado; agora dois hebreus estavam brigando *um com o outro*! Socos para todos os lados, dentes quebrados, narizes sangrando — a mesma cena e os mesmos sons de antes! Aposto que Moisés gritou a plenos pulmões: "Por que vocês estão brigando, um *hebreu* espancando outro *hebreu*? Já pararam para pensar que essa briga é entre irmãos? O que estão *pensando*? Nosso povo é forçado a trabalhar e apanha todos os dias dos egípcios, e agora vocês estão brigando *um com o outro*?!".

Ficou claro para Moisés que seu povo estava a ponto de explodir. Os hebreus haviam sido expostos a tanto ódio e violência e por tanto tempo que provavelmente queriam exterminar *uns aos outros* com as próprias mãos. Os terríveis maus tratos, a opressão e

---

[4] Êxodo 2.12.

a exploração que os hebreus haviam sofrido sob o domínio egípcio atingiram o nível de total insanidade. O próprio Moisés chegara ao ponto máximo de seus limites emocionais. "*Chega!*", ele deve ter gritado. "*Já vi o suficiente! Não agüento mais!*"

○

Mais adiante, o livro de Êxodo narra um famoso diálogo entre Moisés e Deus, ao lado de uma sarça em chamas. Moisés avista uma sarça em chamas, mas nota que ela não é consumida pelo fogo. A situação torna-se mais estranha quando ele ouve a voz retumbante de Deus chamando-o pelo nome. "Moisés! Tire as sandálias dos pés. O lugar em que você está é 'terra santa'."

Na infância, quando freqüentava a escola bíblica dominical, eu tinha a nítida impressão de que a visão assustadora da sarça em chamas naquele dia deixou Moisés tão *apavorado* que ele decidiu ajudar a libertar seu povo das mãos do faraó. Após um estudo minucioso e muita reflexão ao longo dos anos, contudo, passei a entender que a sarça em chamas foi simplesmente um meio de chamar a atenção de Moisés, a fim de que ele se acalmasse o suficiente para ouvir Deus transmitir uma mensagem de empatia tal que a maioria de nós não imagina ser possível.

Basta dizer que a tática da sarça em chamas funcionou. Moisés acalmou-se, e Deus teve a oportunidade de ser ouvido. Penso que suas palavras a Moisés foram mais ou menos estas: "Moisés, entendo perfeitamente a raiva que você sente. Eu também vejo o sofrimento de meu povo no Egito. Também ouço o clamor dele. Também sinto a angústia dele. O que você viu quando o egípcio estava espancando o escravo judeu em plena luz do dia e o que viu e ouviu quando os dois hebreus frustrados, irados e desiludidos começaram a bater um no outro *eu* também vi! E, cá entre nós, eu odeio a tristeza e o sofrimento tanto quanto você! Na verdade, odeio mais que você".

A seguir, Deus talvez tenha dito: "Meu espírito anda tão perturbado, Moisés, que decidi intervir aqui do céu. Decidi tirar meu povo de lá, e escolhi *você* para me ajudar![5] Estou à procura de alguém *exatamente* como você. Se participar de meu plano, vou aproveitar esse turbilhão que toma conta de seu íntimo e canalizá-lo para uma ação positiva. E essa ação ajudará a tirar meu povo da escravidão".

"Vou atribuir-lhe uma função *específica* porque vejo que você está tão perturbado com essa questão aí na Terra quanto eu aqui no céu. Vejo o mal que isso lhe está causando interiormente! Vejo em você uma afeição extremada por seu povo. Em suas emoções embrutecidas, vejo um homem com *tremenda* capacidade para agir — um homem que se recusa a ficar parado vendo seu povo ser tratado de forma tão violenta. Sua frustração pode fazer vir à tona a liderança e a força que existem dentro de você, Moisés, se você permitir."

Não agüento mais!

Sem desviar a atenção da narrativa a respeito de Moisés, eu gostaria de analisar, sob um ângulo completamente diferente, a dinâmica que acabo de descrever, na esperança de incutir algumas idéias importantes em sua mente.

Faço parte de uma geração que cresceu vendo a figura de um sujeito careca e divertido em desenhos animados na televisão. O nome dele era Popeye — marinheiro Popeye, para ser mais exato —, e, se você tiver dez anos a mais ou a menos que eu, deve estar cantarolando a melodia neste instante. A criançada reunia-se na

---

[5]   Cf. Êxodo 3.7-10.

sala de televisão todos os sábados de manhã e não desgrudava os olhos da tela ao ver o marinheiro com um cachimbo na boca, feito de espiga de milho, e um olho, apenas um, à espera de uma nova e empolgante aventura.

Na vida de Popeye havia uma moça especial chamada Olívia Palito. Ela era uma menina de fazer parar o trânsito, ao que me lembro. Tórax liso, nariz em forma de picles, braços finos como espaguete — uma lindeza! Quando alguém se intrometia na vida de sua "garota" — conforme Popeye a chamava —, ele não se perturbava. Tinha temperamento tranqüilo e, na maioria das vezes, era o exemplo de um sujeito calmo, pacato e sereno. Mas se as coisas adquirissem um tom ameaçador — se algo *muito terrível* pudesse acontecer à sua querida Olívia Palito —, o coração do marinheiro Popeye começava a bater mais rápido, a pressão sanguínea subia às alturas e a raiva entrava em ebulição. Ele procurava controlar-se ao máximo, mas, quando a paciência chegava ao limite, Popeye desferia as palavras que uma geração inteira gravou na mente: "Já agüentei o quanto pude, não agüento mais!". (A pronúncia das palavras era um pouco estranha, mas... o que esperar de um marinheiro?)

A essa altura, o irado Popeye abria uma lata de espinafre com toda força e engolia aquela gororoba verde de uma só vez. Imediatamente, uma força sobrenatural tomava conta de seu corpo... principalmente dos antebraços. Eles quadruplicavam de tamanho, dando a Popeye uma força descomunal, a maior do mundo. Ele destruía o opositor sem lhe dar tempo de revidar e salvava sua preciosa Olívia Palito de toda a sorte de encrencas. Depois, assim que a vida retornava ao normal, ele cantarolava: "Sou forte até o fim, com espinafre pra mim... Eu sou o marinheiro Popeye!".

Que programão!

Como você pode imaginar, o povo começou a comer muito espinafre depois que o desenho surgiu. Penso, porém, que Popeye nos deixou um legado mais significativo, e esse legado está em sua famosa frase: "Já agüentei o quanto pude, não agüento mais!".

Amigo, trata-se de uma frase *extremamente* importante e devemos meditar nela!

O que acontece quando chegamos a ponto de não "agüentar mais"? Bem, quanto a Moisés, o nosso amigo do Antigo Testamento, ele não podia tolerar que seus companheiros hebreus continuassem a ser oprimidos e espancados. Moisés não *agüentava mais!* Seu "momento Popeye" chegou, por assim dizer... a última gota de frustração que fez Moisés perder as estribeiras. Deus também não agüentava mais ver os maus tratos impostos aos israelitas, por isso usou o que eu chamo de "ataque de frustração" dentro da alma de Moisés para dar a função de líder a um homem sem essa vocação. Com isso, a nação de Israel conseguiu chegar à terra prometida e habitar nela.

Moisés não é, por certo, a única pessoa na História motivada por um 'momento Popeye' para fazer diferença no mundo. Recentemente, pedi a várias pessoas que conheço que refletissem um pouco e me contassem *como* se envolveram em atividades que hoje consomem seu tempo, dinheiro e energia. Que experiências as levaram a ter essa paixão pelas coisas nas quais se envolveram? Essas conversas, aliadas a alguns estudos e reflexões pessoais, induziram-me a criar uma teoria a respeito do assunto.

Aqui está o resultado: creio que milhões de pessoas decidiram fazer o bem ao mundo ao redor delas porque existe algo *errado* nesse mundo. Na verdade, existe algo tão errado que elas não conseguem *agüentar*. Assim como o Popeye, elas são acometidas de um "ataque de frustração". Ficam tão indignadas com o atual estado de coisas que levantam as mãos para cima e gritam: "Já agüentei o quanto pude, não agüento mais!". Em razão disso, dedicam sua vocação, seu dinheiro ganho a duras penas e sua energia a trabalhos voluntários para consertar o que está errado.

Em minha minipesquisa, encontrei vários fatores que levam as pessoas a ter um momento Popeye. Depois de visitar um vilarejo miserável do terceiro mundo, onde havia um grande número de crianças morrendo de fome, um executivo que conheço voltou para casa com uma dose extra de compaixão... e grande coragem para mudar a situação. Depois de muito sofrimento por ter perdido seu bebê, uma jovem mãe ressurgiu das cinzas determinada a ajudar outras mães em situação semelhante. Um casal recém-casado apareceu num noticiário noturno de televisão para falar de um país cujos habitantes sofriam sob um regime político corrupto. Ao fitar os olhos daqueles que não tinham a quem reclamar, eles decidiram defender os direitos individuais, cada um em sua esfera de influência.

A questão é a seguinte: a atração irresistível por uma causa específica que leva essas pessoas a investir prazerosamente seu tempo, dinheiro e energia sempre tem ligação com uma faísca de frustração capaz de acender o fogo que lhes devora a alma.

A função da palavra "santo" em "descontentamento santo"

Devo esclarecer que a cena sangrenta do assassinato do egípcio e o episódio da sarça em chamas não foram os únicos fatores que fizeram as palavras saltarem da página naquela manhã em que eu estava lendo o livro de Êxodo durante minha meditação diária. Penso que esse foi o motivo verdadeiro por eu ter ficado tão agitado naquele dia: finalmente eu havia encontrado um recurso sobrenatural para alimentar a pergunta perturbadora com a qual me debatia havia dois anos. Com base no relato sobre Moisés, minha teoria do "ataque de frustração" começava a fazer sentido. Isto é, vemos nessa passagem uma enorme reviravolta que alterou o rumo da História e libertou o povo hebreu de centenas de anos de uma escravidão capaz de esmagar a alma. No entanto, todo esse acontecimento teve início com uma simples aliança entre Deus e um ser humano normal, comum, preocupado com assuntos terrenos, que se comoveu com a mesma situação que comoveu o coração do Criador.

Passei a chamar de "descontentamento santo" aquela harmonia espiritual poderosa que interligou as prioridades de Moisés com as prioridades de Deus. Esse conceito também funciona no mundo atual. Até hoje, o coração das pessoas que amam a Deus quase sempre se enternece com a *mesma coisa* que ele quer usar para estimulá-las a fazer algo que, em circunstâncias normais, jamais tentariam fazer. Talvez você seja um alto executivo, talvez seja uma mãe que se ocupa apenas com as tarefas do lar, talvez seja estudante ou então tenha uma ocupação totalmente diferente. Não importa. Você (sim, *você mesmo*) pode colaborar com Deus para consertar o que está errado neste mundo! E tudo terá início quando você sentir um descontentamento santo; tudo começará quando você definir aquilo que não agüenta mais.

Até as pessoas mais otimistas que conheço concordam que há muitas coisas erradas neste mundo... e a Bíblia comprova isso. Passagens como Romanos 8.20,21 dizem que a criação inteira está frustrada, mas, pelo poder de Deus, tudo o que se encontra quebrado, destruído e errado será redimido um dia. Na verdade, existe uma coisa na qual Deus se concentra em todos os momentos de cada dia: a idéia da *restauração*. Deus está trabalhando neste minuto

— enquanto você lê esta frase — para devolver a este mundo triste e enfraquecido a beleza e os propósitos que tem para ele.

Se você descobrir tudo o que está quebrado neste mundo, mas não enxergar essa situação sob a perspectiva celestial (que promete que tudo está em processo de restauração), será tragado por uma espiral descendente de irritação e ira. Tudo parecerá tão desanimador que você sucumbirá a um ataque de frustração em vez de permitir que a situação o induza a partir para uma ação positiva.

No entanto, assim que essa frustração e raiva forem entendidas como *descontentamento santo* — ou seja, sua ligação espiritual com Deus, que está trabalhando para consertar tudo —, você sentirá uma onda enorme de energia positiva sendo liberada de seu interior. À semelhança de Popeye depois de engolir o espinafre, você terá uma força *incomensurável* para fazer o bem ao mundo. Com essa energia, você enfrentará a insatisfação que borbulha dentro de sua alma e concordará em juntar forças com Deus para afastar as trevas e a depravação ao redor. Essa dose de energia sobrenatural permitirá que você deixe para trás todas as reações naturais inerentes aos seres humanos e comece a enxergar a vida sob a perspectiva de Deus. Em outras palavras, em vez de enxergar aquilo que seus olhos vêem, você passará a enxergar o que Deus *diz ser verdadeiro*. E, dentro *dessa* realidade, tudo o que está sob o regime da escravidão poderá ser libertado, tudo o que está quebrado poderá ser consertado, tudo o que está infectado poderá ser curado, tudo o que é odiado poderá ser amado, tudo o que está sujo poderá ser limpo e tudo o que está errado poderá ser corrigido.

A bem da verdade, as pessoas mais entusiasmadas, motivadas e ativas que conheço extraem desse descontentamento santo a energia de que necessitam para viver. Nunca se esquecem de que as aflições pelas quais passam também afligem o coração de Deus. Recusam-se a ter uma vida de *passividade* e são *movidas* por uma esperança constante de que os dias melhores prometidos por Deus estão chegando. Dão ouvidos ao instinto de coragem que existe dentro delas e dizem que a vida não precisa ser como a maioria das pessoas imagina. E, acima de tudo, preparam-se para entrar no jogo quando Deus diz: "Se você fizer parte de meu time, participará comigo de uma mudança muito importante e necessária!".

Há outro ponto em comum que observei nos homens e nas mulheres que extraem do descontentamento santo a energia de que necessitam para viver: eles se apegam a uma "perspectiva de restauração" e se lembram de que as *pessoas* estão entre o que precisa ser restaurado. Isso faz muito sentido, porque não podemos estar em sintonia com as prioridades de Deus e, ao mesmo tempo, andar por aí destruindo a coroa da Criação, isto é, o povo de Deus. O Deus que conheço zela cuidadosamente por seu povo; portanto, se sua insatisfação não refletir uma preocupação constante com a segurança e o desenvolvimento de *todas* as pessoas, seu discurso bombástico e frustrado talvez se pareça com uma bela sessão de lamentações, não com uma atitude derivada do descontentamento santo proporcionado por Deus.

Se quisermos viver de acordo com a perspectiva de Deus, devemos lembrar que as pessoas com quem nos encontramos no dia-a-dia estão "em processo". Para Deus, a mais ínfima delas será restaurada, redimida e refeita para sua glória eterna. Pense em todas as vezes nas quais a Bíblia apresenta Cristo abrindo caminho para o povo livrar-se da escravidão física, emocional, financeira, sexual ou de qualquer outro tipo de domínio que o deixou sem esperança ou oprimido. Quando ministrou neste mundo, Jesus Cristo disse que se conhecêssemos a verdade, a verdade nos libertaria.[6] Em outras palavras, quando conhecem Cristo e andam com ele, as pessoas libertam-se de *todos* os tipos de escravidão. Isso ocorreu com os crentes do século 1º e ocorre até hoje.

E mais: quando decidimos seguir o caminho da verdade, passamos a ser agentes de liberdade na vida dos outros. Talvez seja por isso que Deus torna essa liberdade acessível logo após confiarmos nele... para que possamos recebê-la, viver de acordo com ela e dividi-la com alguém. Nossa capacidade para senti-la e, depois, enfrentar aquilo que nos deixa descontentes poderá *incentivar* nossos amigos e familiares a desfrutar dessa liberdade! Abordarei esse assunto com mais detalhes no capítulo 7, "Modo de vida magnético".

O que significa "estar contente"?

Em certas ocasiões, quando provoco uma discussão em torno desse assunto, costumo fazer esta pergunta: "Até aí tudo bem, mas o que vocês me dizem a respeito de todas aquelas vozes que me aconselham a 'estar contente'?". É verdade: ao longo dos anos, muito se tem escrito e pregado em defesa do *contentamento*. Nos meios religiosos, principalmente, parece haver um constante rufar de tambores conclamando todos para "descobrir o contentamento" e "estar contentes".

Não me interprete mal. As motivações por trás do tema são, em geral, puras: em vários trechos da Bíblia, Jesus diz que devemos estar contentes com muito ou pouco dinheiro, estar contentes em todas as circunstâncias (mesmo quando não nos são favoráveis) e estar contentes quando temos os elementos básicos para viver, como alimento, água e abrigo.[7] Começo a pensar que deva existir

---

6   João 8.32.
7   Lucas 3.14; Filipenses 4.11,12; 1Timóteo 6.6-8; Hebreus 13.5.

um outro lado nessa equação. Amigos, há um problema com esse contentamento: viver isolado dos outros pode ser letal! Se não tomarmos cuidado, cairemos num estado sonolento de satisfação, segurança e serenidade, e deixaremos de cuidar das necessidades deste mundo que deveriam provocar *profundo descontentamento* em nós quando vemos que elas não são atendidas.

Não podemos ler o Novo Testamento sem notar alguns desses elementos "produtores de descontentamento" em vários trechos. São perguntas do tipo:

> *E quanto aos pobres?*
> *Quem cuidará dos enfermos e moribundos?*
> *Alguém visitará os prisioneiros?*
> *Quem vestirá os nus?*
> *Ou acolherá os órfãos em casa?*
> *Ou ouvirá os lamentos de quem sofre?*
> *Ou dará água aos sedentos, comida aos famintos e abrigo aos excluídos?*

Penso que seja inteiramente possível descansarmos na promessa de Deus de dias melhores — um tempo em que ninguém se cansará por ajudar os necessitados, em que não haverá remédios antidepressivos, e a barriga das crianças do sul da Ásia deixará de roncar de fome —, desde que nos esforcemos para apressá-los!

Na verdade, penso que, quando decidirmos extrair energia de nosso descontentamento santo — abrindo caminho entre os problemas, lutas e injustiças ao redor, determinados a sair em busca das "coisas melhores" que Deus prometeu em seu plano de restauração —, o céu inteiro se alegrará! Em meio a essa comemoração, talvez Deus contemple a multidão de anjos saltando e gritando de alegria, e diga com um sorriso sábio: "Parece que temos outro Moisés nas mãos...".

2

Gente como Popeye

A Cruz Vermelha americana relata que, somente no ano de 2005, atendeu a mais de 70 mil tragédias![1] Quando os furacões atingiram os Estados da costa do golfo, ela esteve lá. Quando os tornados desabrigaram famílias, ela esteve lá. Quando os incêndios destruíram toda a região vizinha, ela esteve lá. A Cruz Vermelha parece estar em *toda parte*. No entanto, há um fato que muito me intriga acerca da presença constante dessa organização: seu pessoal é, na maioria, composto de *voluntários*. Na verdade, o número de voluntários chega a quase 1 milhão, o que significa que, a cada dia, mais de 3 mil pessoas investem seu tempo precioso nos trabalhos dessa organização. E a Cruz Vermelha é apenas uma organização entre *milhares* que contam com o auxílio de voluntários.

Ao pensar nisso, eu quase sempre me pergunto o que se passa no coração desses seres humanos racionais para incutir neles o desejo de ingressar — com *alegria* — num trabalho de grandes desafios,

---

[1] Disponível em: <http://www.redcross.org/services/disaster>.

grandes riscos e grandes aventuras neste mundo. Principalmente porque eles não recebem um centavo em troca.

Partindo em busca de nosso "sentimento de dever"

Martin Luther King Jr. tornou-se famoso porque não agüentou muitas coisas. Exercia a função de pastor, mas veio a ser um dos voluntários mais importantes que o mundo conheceu. A opressão racial que viu à sua volta nos Estados Unidos nas décadas de 1950 e 1960 partiu-lhe o coração: ele não agüentava ver os avisos "Somente para os brancos" nos bebedouros, banheiros e portas de entrada dos restaurantes; não agüentava ter de conviver com uma lei que empurrava os negros para o fundo dos ônibus ou os forçava a ceder o lugar aos brancos; não agüentava saber que seu povo devia sempre ocupar os últimos lugares da fila para conseguir instrução escolar, emprego e moradia.

Ele queria acabar com o linchamento dos negros. Queria banir a segregação. Queria justiça para que seus filhos crescessem num mundo diferente do que ele vivia!

Finalmente chegou o dia em que o "não agüento mais" de King atingiu o ponto máximo. O descontentamento santo que tomou conta das profundezas de seu ser chegou a tal ponto que ele deve ter dito no íntimo: "Deus, já agüentei o quanto pude, não agüento mais!". E foi esse momento Popeye que deu início ao movimento de King em prol da igualdade racial.

King viveu o restante de seus breves 39 anos com o desejo ardente no coração de ver uma nova civilização caracterizada pela não-violência, liberdade e justiça. Ganhou o Prêmio Nobel da Paz na Universidade de Oslo em 1964 por seus esforços incansáveis nessa luta e, em seu discurso de agradecimento, disse: "Recuso-me a aceitar a idéia de que a 'passividade' da natureza atual do homem o torne mortalmente incapaz de alcançar o eterno 'sentimento de dever' que sempre o confrontou".[2] Amigos, *esse* é o significado de ver a vida sob a perspectiva do descontentamento santo — quando o "sentimento de dever" sobrepuja a "passividade".

Martin Luther King Jr. sabia que seu ativismo provavelmente lhe custaria a vida. A tragédia aconteceu numa noite de abril de 1968, na sacada de um hotel em Memphis. Penso que o descontentamento santo que tomou conta da alma daquele homem não lhe permitiu oferecer *nada* menos que sua vida inteira — mente, espírito, alma e corpo — em prol de um objetivo tão digno. O franco-atirador levou a vida de King, mas não foi capaz de levar o extraordinário legado de um homem tão comprometido com sua missão.

Esse é o tipo de legado que alguns de nós deixaremos, assim espero.

Comparando essa idéia com nossa "pergunta Popeye", gostaria de saber se *é isso* que você não é capaz de agüentar: pessoas deixadas à margem da vida, tratadas como cidadãs de segunda classe, feitas para se sentirem *inferiorizadas* ou desnecessárias ao mundo, só por causa de algo tão banal como a cor da pele. Eu pergunto: você não *agüenta* ver favoritismo, elitismo ou esnobismo em lugares que dizem zelar por *todas* as pessoas?

O que você não é capaz de agüentar? Talvez outro exemplo o ajude a responder a essa pergunta.

A santa dos desamparados

Quando você pensa em pessoas que sentiram "ataques de frustração" motivados pela ira, é provável que a figura de Madre Teresa

---

[2] Disponível em: <http://www.nobelprize.org/peace/laureates/1964/king-acceptance.html>.

não lhe venha à mente. Mas até mesmo as pessoas mais carinhosas e humanitárias são capazes de sentir grande descontentamento quando a situação o justifica. Certa vez, a CNN citou esta frase de Madre Teresa: "Quando vejo desperdício, sinto uma *ira* profunda dentro de mim. Não aprovo sentir essa ira, mas é algo que não podemos evitar depois de visitar a Etiópia!".[3]

Para Madre Teresa, tanto fazia estar no leste da África, nos lugares mais pobres da Índia ou na Rua 137 no sul do Bronx. Nenhuma tarefa lhe era indigna, desde que tivesse o objetivo de injetar um pouco de esperança na vida de alguém. Durante a maior parte da vida, ela sempre foi vista segurando a mão de um doente em estado terminal, conduzindo crianças de rua a abrigos seguros, limpando feridas expostas de leprosos ou angariando fundos para alimentar pessoas gravemente enfermas e de barriga inchada, habitantes dos países em desenvolvimento.

Vinte anos antes de tornar-se conhecida no mundo inteiro como amiga dos desamparados, Agnes Gonxha Bojaxhiu — o nome verdadeiro de Madre Teresa — lecionava geografia em Calcutá. Foi lá que seu momento Popeye desabrochou.

Todas as manhãs, ela caminhava até o colégio Santa Maria para transmitir ânimo às jovens estudantes, mas, ao redor do colégio, as condições não eram nem um pouco animadoras. A vida nas ruas era deplorável! No caminho para o trabalho, ela passava por moradores de rua, vivendo em absoluta miséria, doentes e incapacitados. Todos os dias, uma voz dentro dela gritava: "Já agüentei o quanto pude, não *agüento* mais!". Finalmente, a pobreza devastadora que atormentava seus sentidos e lhe despedaçava a alma todos os dias impulsionou-a a tentar resolver aqueles problemas.

---

[3] CNN Washington, 1984. Disponível em: <http://www.cnn.com/WORLD/9709/mother.teresa/impact/index.html>.

Logo depois do "ataque de frustração", Madre Teresa obteve permissão para abandonar o cargo de professora. Arregimentou algumas ex-alunas e arregaçou as mangas para cuidar de homens, mulheres e crianças que haviam sido rejeitados pelos hospitais da cidade e estavam praticamente agonizando nas ruas. No início, aquele grupo de benfeitoras conseguiu apenas alugar um pequeno espaço para cuidar dos enjeitados. Mesmo assim, esse ambiente acolhedor era mais que ideal para quem havia dormido nos canos de esgoto na noite anterior. (Os futuros colaboradores apelidaram-na de "santa dos desamparados" em razão da forma pela qual ela deu início a seu trabalho.)

Em 1950, pouco depois de ter abandonado a profissão de professora, Madre Teresa recebeu permissão do Vaticano para lançar uma ordem organizada por ela, hoje conhecida como Missionárias da Caridade. Li, recentemente, que aquele trabalho iniciado com cerca de uma dúzia de pessoas conta hoje com a colaboração de mais de 4 mil freiras, todas trabalhando diligentemente para cuidar de refugiados, alcoólatras, vítimas de epidemias, dependentes químicos, prostitutas, sem-teto, cegos, deficientes físicos, surdos, pobres e desamparados.[4]

No entanto, mais incrível que a influência abrangente desse grupo é o fato de que tudo começou com uma mulher que não *agüentou* a idéia de que alguém — nem mesmo o mais pobre dos pobres... *principalmente* o mais pobre dos pobres — vivesse sem esperança e morresse sem dignidade. Madre Teresa não se entregou a essa causa para receber um cheque polpudo todos os meses; ajudou os menos favorecidos à sua volta porque seu descontentamento santo a agarrou pelo pescoço e não queria soltá-la.

Pessoas lutando sem ter a quem recorrer... crianças abandonadas pelos pais, adultos sem casa para morar, famílias sem alimento

---

[4]   Disponível em: <http://www.en.wikipedia.org/wiki/Mother_Teresa>.

e água... pacientes com doenças contagiosas que são jogados como o lixo de ontem... são esses fatos que você não é capaz de agüentar?

A promessa da "terra prometida"

O voluntariado é louvável em qualquer situação, mas, se você quiser vê-lo posto em prática com uma clareza límpida, cristalina e de alta definição, o lugar ideal para isso é dentro de sua igreja. Essa idéia de encontrar e usar nossos dons para o bem da humanidade é um de meus assuntos favoritos, e falo dele o tempo todo porque existe um motivo principal: não há nenhum caminho mais rápido para sua alma encontrar satisfação do que o caminho de servir aos outros. Quando colocamos o guardanapo ao redor do antebraço e nos envolvemos em alguma atividade em prol do Reino que nos deixa verdadeiramente animados, nosso descontentamento santo manifesta-se da maneira mais natural e autêntica possível.

Para refrescar minha mente a respeito do funcionamento dessa dinâmica, fiz uma coisa há alguns meses que não fazia havia muito tempo: um passeio pelo Promiseland [Geração Futuro].

Promiseland é um ministério infantil da igreja de Willow Creek. O passeio de trinta minutos leva-nos a conhecer todos os segredos que se passam nos bastidores, enquanto os pais assistem no grande auditório aos cultos dos fins de semana. Eu não estava pregando naquele fim de semana, e minha função secundária no palco havia sido cumprida pouco antes do início do culto. Aproveitei a oportunidade para dar uma fugida e ver o que estava acontecendo no reduto das crianças.

Em companhia de um segurança, atravessei um caminho sinuoso. Passamos pelo pátio interno e descemos dois lances de escada até chegar a uma área pintada com cores vivas, onde eu deveria me identificar. Fomos imediatamente saudados por três garotas com um largo sorriso, todas pertencentes ao quadro de voluntários. Uma delas disse que estava muito feliz por poder mostrar-nos o local.

Fomos conduzidos à área destinada aos bebês, onde avistei homens, mulheres e adolescentes carregando-os, ninando e cuidando dos que dormiam serenamente nos berços. O ambiente era pacífico, cálido e acolhedor — e também dirigido inteiramente por voluntários. Saímos dali e caminhamos cerca de trinta metros em direção à área das crianças um pouco mais crescidas, onde o ambiente não era tão pacífico. Também era cálido e acolhedor, mas pairava no ar uma dose inequívoca da energia de crianças de 2 anos.

Não pude deixar de notar o entusiasmo dos adolescentes, o agradecimento estampado no rostos dos pais e o trabalho dos voluntários. Todos pareciam muito felizes! (Exceto um novo voluntário de terno e gravata, sujos de vômito de criança. Alguém esqueceu de lhe dizer que quem cuida de crianças deve sempre usar roupa comum de trabalho.)

À primeira vista, creio ter visto pelo menos uns 40 homens e mulheres realizando várias funções naquela manhã — todos trabalhando como voluntários. Dias depois, ao lembrar-me daquele passeio, eu me perguntei que ataques de frustração haviam impelido aqueles voluntários a erguer a mão um dia e dizer: "Estão precisando de ajuda no ministério para crianças? Contem comigo! Estou pronto para participar".

Para alguns deles, posso dizer com segurança que o descontentamento santo teve origem no tédio. Eles não *agüentavam* freqüentar a igreja na infância porque os programas infantis eram detestáveis. A apresentação das boas-novas de Deus era feita de maneira descuidada, os obreiros tinham 85 anos de idade e eram mal-humorados, os docinhos tinham gosto de pão amanhecido, os brinquedos do parquinho não eram de boa qualidade. Basta dizer que as lembranças dos tempos de infância na igreja eram *péssimas*.

Num momento qualquer dessa caminhada, eles aprenderam que a maior e mais empolgante aventura da vida é estar em comunhão com Deus, mas nunca se esqueceram daqueles anos infelizes que passaram no subsolo da igreja, um lugar escuro e sem vida.

É por isso que, quando se vêem diante de uma oportunidade de trabalhar com crianças, essas pessoas arregaçam as mangas imediatamente. *Jamais vou deixar as crianças desta igreja sofrerem como eu sofri*, elas pensam. *De jeito nenhum... vou fazer o possível para ajudá-las*. E, assim, elas dedicam a mente, o coração e a alma para tirar as crianças da falsidade desse ministério insípido e tacanho.

Para outras, o descontentamento santo veio à tona quando constataram o índice alarmante de violência contra crianças neste país. Baseando-se apenas em estatísticas, elas descobriram que pelo menos uma pequena porcentagem de crianças no Promiseland havia sofrido algum tipo de violência. Quando o ataque de frustração começou a intensificar-se no coração e alma dessas pessoas, elas substituíram os sentimentos de desespero e falta de esperança por *ação*. Encontraram uma creche para cuidar de seus filhos algumas horas por semana, para poderem dedicar-se com amor e carinho às crianças da Willow que haviam sofrido algum tipo de violência.

Outras pessoas dedicaram-se a esse trabalho por motivos que jamais saberei. Mas todas se uniram em prol de uma causa comum e decidiram fazer diferença. Esta é a promessa do Promiseland: que as crianças tenham um cantinho só delas para viver em paz. Que sejam aceitas como são, mas que também aprendam a verdade acerca do que poderão ser em Cristo. Que os adultos tenham participação ativa na vida delas em vez de simplesmente tolerá-las...

ou pior, ofendê-las ou maltratá-las. Esse ministério extraordinário tem prosperado em nossa igreja por um motivo fundamental: centenas de homens e mulheres, que não foram capazes de suportar os programas dirigidos a crianças, recusaram-se a permitir que a frustração lhes envenenasse o espírito e partiram para a ação, com o objetivo de provocar mudanças na vida dos pequeninos.

Creio que você já saiba qual é a pergunta que tenho a lhe fazer: *O que você não é capaz de agüentar?*.

É verdade: os voluntários do Promiseland apresentam um cenário fantástico do que significa extrair energia do descontentamento santo. No entanto, embora esse programa seja muito extenso, tenho de admitir que não é o único. Se você e eu andássemos a esmo por Willow durante um dia, encontraríamos dezenas de exemplos desse tipo de trabalho voluntário feito com dedicação e criatividade. Veríamos o pessoal do ministério CARS[5] com a cabeça sob capôs abertos ou com as mãos trabalhando rapidamente no conserto de um carro para ajudar uma mãe solteira que necessita de transporte com urgência. Encontraríamos comitês de ajuda a aidéticos abastecendo sacolas com escovas de dentes, cadernos espirais e camisetas limpas, num esforço conjunto para minorar o sofrimento de famílias que vivem a meio mundo de distância.

Avistaríamos líderes de conselhos de finanças, coordenadores de grupos de oração e anfitriões de eventos... limpadores de terrenos baldios, diáconos e presbíteros, todos doando um pouco de si dia

---

[5]   CARS é a sigla de Christian Automotive Repairmen Serving [Oficina cristã de serviços automotivos]. A organização teve início no fim da década de 1980 e dedica-se até hoje a providenciar transporte para pessoas com dificuldade de locomoção.

após dia, semana após semana, para oferecer amor. E eles fazem isso sem cobrar nada.

Seja em Willow, seja em outra igreja, numa agência de caridade ou numa empresa, sempre fico profundamente admirado quando vejo alguém fazendo um serviço voluntário que teve origem no descontentamento santo. Dou a esse sentimento de admiração o nome de "Atos 2" — você se lembra de como a igreja primitiva se sentiu ao ver o poder e a presença do Espírito Santo em ação? Um comentarista bíblico descreveu a cena desta maneira: "O coração deles permaneceu silencioso e sereno [enquanto] o deslumbramento tomava conta da alma de todos".[6] Lindo demais!

Por certo não há nada mais inspirador que alguém transformar algo que não podia suportar numa espécie de energia positiva para restaurar o mundo. É o que ocorre todas as vezes que um coração agradecido envia um cheque para uma causa meritória, com o objetivo de "fazer o bem" ao mundo. É o que ocorre todas as vezes que alguém entra numa igreja, num centro cívico ou na barraca de uma entidade assistencial com a atitude de "estou aqui para servir" — e faz isso depois de ter trabalhado 40, 60 ou 80 horas durante a semana no emprego "verdadeiro". É também o que ocorre quando aquele emprego verdadeiro é mais que um caminho para receber o contracheque; é uma avenida para aliviar um pouco da tensão reprimida do descontentamento santo

O descontentamento santo em ação

Aceitei, recentemente, um convite para falar a um grupo de médicos na região metropolitana de Chicago. Fazer uma "palestra"

---

6   William MacDonald. *Believer's Bible Commentary,* Atos 2.43. Nashville: Nelson, 1995, p. 1.588.

para 300 médicos é um grande desafio, mas as dificuldades agigantam-se quando a diretoria do hospital para o qual trabalham os obriga a assistir a um seminário de um dia. Para mim, é muito melhor quando a platéia *quer* ouvir-me falar, se é que você me entende.

A primeira meia hora do evento foi preenchida com avisos e atualização de informações emitidos pelo pessoal do sistema de som do estabelecimento, que, por certo, tinha as paredes de seus escritórios forradas de diplomas, certificados e elogios. Quando subi à plataforma, toda a platéia de jalecos brancos estava com os polegares ocupados, enviando e-mails ou mensagens de texto pelo telefone celular. Se eu não tivesse sido escalado para chamar a atenção deles, talvez a situação não fosse tão deprimente. Enquanto caminhava uns dez passos em direção ao microfone, eu fervia por dentro, arrependido de ter concordado em ajudar o presidente do hospital, um amigo de muitos anos; ele era o responsável por ter-me colocado naquela situação embaraçosa, e teria de perder um tempo enorme para ouvir tudo o que eu lhe diria após o término da palestra!

Enquanto arrumava minhas anotações no apoiador de papéis, examinei discretamente a platéia. Ninguém ergueu os olhos, mas eu não desisto com facilidade. Limpei a garganta e comecei a falar.

— Sem mais delongas, gostaria de fazer-lhes uma pergunta — eu disse, mas ninguém me deu atenção. — A título de curiosidade, por que *vocês* decidiram ingressar na faculdade de *medicina*?

Finalmente, alguns olhares voltaram-se para mim. Concentrei-me naquele pequeno grupo e prossegui.

— Vocês parecem ser pessoas inteligentes, mas conheço uma dezena de outras profissões muito mais lucrativas e muito *menos* exigentes do que essa na qual vocês trabalham. Eu só queria saber: por que escolheram *essa* profissão?

Após breve pausa, continuei:

— Antes de prosseguir, gostaria de dizer que, pelo fato de não fazer o que vocês fazem todos os dias, eu admiro, *admiro* mesmo, a capacidade de vocês e o desejo de trabalhar horas a fio todas as semanas para minorar o sofrimento de pessoas enfermas, feridas, mutiladas e moribundas.

Mais olhares voltaram-se para mim.

— Penso que uma *força interior poderosa* deve ter provocado em vocês o desejo de ajudar essa gente a ter uma vida saudável e em pleno funcionamento. Na verdade — prossegui —, se eu tivesse de adivinhar, diria que essa mesma força poderosa deve sustentá-los até hoje, caso contrário o que mais *poderia* ser tão forte a ponto de triunfar sobre todos os outros motivos óbvios e negativos, como política, pressão e dor de cabeça ligados à carreira da medicina?

Fiz uma pausa para permitir que as palavras calassem fundo na platéia. Naquele breve momento de silêncio foi possível ouvir os telefones celulares sendo desligados. Pela primeira vez naquela manhã, consegui atrair a atenção de todos.

— Vejam, tenho uma teoria — eu disse. — Não passa de uma teoria... vocês poderão aceitá-la ou discordar dela. Mas vou dizer qual é...

Discorri sobre a premissa inteira do "descontentamento santo" (com direito a Popeye e tudo mais!) e, em seguida, pensei em voz alta se aqueles homens e aquelas mulheres tão inteligentes, sentados diante de mim, teriam escolhido a medicina depois de um momento de "ataque de frustração".

Talvez tivessem crescido cuidando de um pai ou mãe com doença crônica ou viram o corpo de um amigo ser devastado pela doença de Parkinson, lúpus ou câncer. Talvez *eles próprios* tivessem conseguido curar-se de uma enfermidade e agora queriam ajudar outras pessoas na mesma situação. Alguns talvez tivessem vivido em lugares onde viram pessoas sofrendo desnecessariamente por dificuldade ou impossibilidade de receber atendimento médico. Outros talvez tivessem enterrado um amigo ou pessoa querida em razão de atendimento precário no hospital.

Fosse qual fosse a resposta daqueles médicos, eu podia apostar que uma alta porcentagem deles havia passado por uma situação ou circunstância tão indesejável que os fez levantar-se e dizer: "Não *agüento* mais!". Eu sabia que, se eles analisassem de modo crítico aquela experiência, teriam maiores condições de entender por que escolheram a carreira da medicina... e teriam as forças renovadas para permanecer no jogo dali em diante.

Lembro-me de ter tentado chegar ao estacionamento após aquela palestra, mas dezenas de médicos bloquearam meu caminho. Meus instintos a respeito da teoria do ataque de frustração ocorrido com aquelas pessoas estavam certos — aquele grupo alvoroçado estava pronto para me contar qual foi exatamente o seu momento Popeye. Não me admirei ao ver que todos se lembravam com precisão de onde estavam e o que se passou na mente e no coração deles quando decidiram preencher o formulário para ingressar na faculdade de medicina.

Para mim, foi fascinante entender o que levou aqueles médicos a levantar-se cedo todas as manhãs e dirigir-se ao trabalho, ansiosos por salvar mais uma vida, lutar contra outra doença ou curar mais um ferimento. Na verdade, acho fascinante fazer essa pergunta a qualquer pessoa. Quando dialogo com professores, pergunto-lhes o que os incentivou a moldar a mente das crianças. Converso com bombeiros, policiais e equipes de emergência e pergunto por que eles se dedicam diariamente a trabalhar em serviços perigosos a ponto de arriscar a vida. Converso com defensores públicos e pergunto por que se preocupam em lutar pelos direitos de quem não pode pagar um advogado. Pergunto a artistas por que eles se sentem tão animados ao pintar, cantar ou dançar.

Não sei qual é sua vocação. Talvez você seja gerente de loja, comerciante, escritor, diretor de marketing, produtor, advogado, engenheiro de computação, motorista de caminhão, assistente administrativo, funcionário de mercearia, atleta profissional, vendedor ou proprietário de um pequeno negócio. Não importa. Minha pergunta será sempre a mesma: *O que você não é capaz de agüentar?*.

"Mesmo que isso me mate, essas crianças vão ter o que comer..."

Houve alguém que deixou muito clara a questão de não agüentar mais. Essa pessoa foi o dr. Bob Pierce, fundador da Visão Mundial, uma das maiores organizações cristãs de projetos de desenvolvimento e auxílio aos necessitados hoje em atividade. Trabalhei com o pessoal dele por seis anos e lembro-me de ter sido inspirado pelo que eu chamo de *descontentamento santo* de Bob Pierce.

Em 1950, Pierce sentiu um *enorme* ataque de frustração dentro de si. Revoltado, ele viu crianças que haviam perdido os pais na guerra da Coréia, na parte subdesenvolvida da Ásia, morrendo de fome enquanto aguardavam na fila para receber alimento. Ao perguntar o motivo, Pierce foi informado de que não havia alimento suficiente no começo da fila da comida. Num dramático momento Popeye, como eu costumo dizer, Bob Pierce voltou para os Estados Unidos, reuniu seus parceiros mais ricos em Los Angeles e, juntos, deram início à organização hoje conhecida como Visão

Mundial. "Vamos conseguir alimento para pôr no começo da fila da comida", declarou Pierce com veemência. "Vamos em frente, mesmo que eu tenha de *morrer*."

Para dizer a verdade, isso quase aconteceu.

No final, contudo, sua persistência foi recompensada. Numa de suas viagens ao exterior, ele deu todo o dinheiro que tinha no bolso a uma garotinha chamada White Jade, pertencente a uma família pobre da Ásia. A menina havia sido surrada e expulsa de casa após ter tomado a decisão de converter-se ao cristianismo. Aquela nota de 5 dólares era suficiente para ela comprar comida, roupa e pagar a escola. Sabendo que ela necessitava de esperança mais do que qualquer coisa, Pierce comprometeu-se a enviar-lhe dinheiro todos os meses dali em diante. Aquele pequeno gesto aparentemente impulsivo serviu de estímulo para a criação do meticuloso programa de assistência a crianças da Visão Mundial, hoje atuando em centenas de países do mundo.[7]

Por intermédio do trabalho da Visão Mundial, somente no ano de 2005 mais de 100 milhões de pessoas em 96 países receberam auxílio material, social e espiritual.[8] Em outras palavras, hoje há mais alimento na linha de frente daquelas filas de comida. Pense no sem-número de White Jades cujas vidas foram *extremamente* enriquecidas graças à determinação de Pierce! Mais uma vez, tudo começou com um descontentamento santo que enterneceu o coração de um homem e o forçou a entrar no jogo.

Uma visão audaciosa

Billy Graham é outro homem que pôs seu descontentamento santo em ação. No verão de 2005, gente do mundo inteiro aplaudiu o

---

[7]   Disponível em: <http://www.en.wikipedia.org/wiki/World_Vision>.

[8]   Idem: <http://www.worldvision.org>.

grande evangelista quando ele falou a cerca de 250 mil pessoas na região metropolitana de Nova York.[9] Se o evento representou sua "última cruzada", conforme dizem à boca pequena, é chegado o fim de um período de *sessenta anos* de estádios lotados em todas as partes imagináveis do mundo. É esse caso de longevidade que nos força a perguntar: *O que deve ter remoído e incendiado o coração do jovem Billy a ponto de levá-lo a alugar aquele primeiro estádio para realizar sua primeira cruzada, na qual ele pediu a milhares de pessoas que entregassem sua vida a Deus?*

Ou, partindo do ponto de vista do momento Popeye, o que houve naquela época tão distante que Billy Graham *não foi capaz de agüentar?* Seja como for, deve ter sido algo extraordinariamente poderoso, porque serviu como uma verdadeira fonte de energia da qual fluíram todas as suas grandes realizações. Essa energia deu-lhe o impulso necessário para dedicar uma vida inteira de trabalho, cujo objetivo era transformar uma visão *audaciosa* em realidade. Deu-lhe também motivação para montar equipes, transmitir ânimo aos colegas, comparecer a avivamentos e suportar críticas dia após dia, mês após mês, ano após ano.

Penso que Billy Graham não *agüentou* ver pessoas atravessando a vida sem conhecer o amor de Deus. Este é o tema principal de todas as suas palestras: "A Bíblia ensina que Deus é amor", ele diz todas as vezes que se apresenta para falar em público, "e se você não conseguir lembrar-se de mais nada, lembre-se de que *Deus o ama!*".[10] Billy Graham diz que se deu conta da realidade quando ainda era criança ao ler um versículo na Bíblia a respeito de levar ao mundo inteiro a mensagem do amor de Deus. Daquele momento

---

[9]   Disponível em: <http://www.billygraham.org/News_Article. asp?ArticleID=104>.

[10] Harold MYRA e Marshall SHELLEY. *The Leadership Secrets of Billly Graham.* Grand Rapids: Zondervan, 2005, p. 318.

em diante, ele nunca mais foi o mesmo! O rumo de sua vida foi traçado, e ele dedicou o corpo, a mente e a alma para transformar em realidade a visão que Deus lhe dera. Depois de Billy Graham ter falado a mais de 210 milhões de pessoas e visitado 185 países,[11] eu diria que ele cumpriu sua missão.

E eu lhe pergunto mais uma vez: *O que você não é capaz de agüentar?*.

Seria ver pessoas vivendo sem amor — sem nunca ter ouvido que existe um Deus misericordioso que as criou, que as uniu de maneira singular e que tem um plano para a vida delas aqui na Terra? Para mim, foi isso que deu início ao ataque de frustração de Billy Graham. E não teria o mesmo efeito sobre você?

O que você não é capaz de agüentar? Espero que já saiba a resposta a essa pergunta tão importante, porque não existe contribuição mais significativa no mundo do que trabalhar com a energia extraída do descontentamento santo.

---

[11] Disponível em: <http://www.bgea.com>.

3

Aquela "coisa única"

Apesar de meu argumento bem arquitetado para convencê-lo do contrário, penso que seria muito fácil você descartar totalmente essa idéia do descontentamento santo. Você poderia alegar que, por mais que se esforçasse, jamais seria um Martin Luther King Jr., cuja vida fascinante passou para os anais da História. Jamais seria tão humilde ou piedoso quanto Madre Teresa. Jamais seria tão carinhoso e desenvolto quanto Billy Graham. Jamais seria tão paciente quanto um voluntário do Promiseland, tão visionário quanto Bob Pierce ou tão empenhado em cuidar da saúde de pessoas totalmente estranhas quanto aqueles que suportam, com alegria, anos e anos de estudos na faculdade de medicina apenas para melhorar a vida de seus pacientes.

Talvez seja muito natural pensar que todos os que *já* fizeram grandes progressos para consertar este mundo quebrado devam ter sido mais espertos, mais fortes, mais ricos, mais animados, mais talentosos, mais ambiciosos, mais dinâmicos, mais persistentes e mais criativos que você. Repito, para você seria mais fácil pular fora. Seria mais fácil convencer a si mesmo de que essa idéia de "descontentamento santo" está reservada a qualquer outra pessoa, *menos* a você. Mas, meu amigo, você estaria totalmente errado.

Durante um culto na Willow no ano passado, fiz o que costumo fazer quando desejo simplificar alguma coisa complicada: faço um desenho para ilustrar. Você poderá chamá-lo de "arte moderna", se quiser. Naquele fim de semana eu estava falando sobre como saber quando um desejo ardente no coração pode ser considerado "descontentamento santo" verdadeiro. Fiz este desenho no quadro:

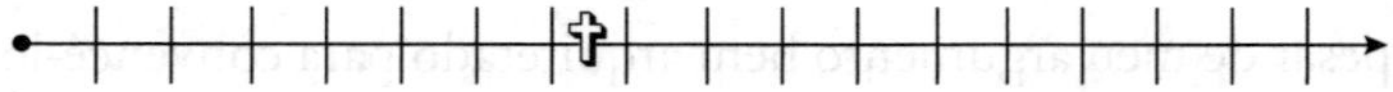

Expliquei que as marcas verticais representam os anos da vida de uma pessoa; a cruz representa o momento em que alguém a convenceu a submeter-se inteiramente à autoridade de Cristo. Naquele momento, ela decide dedicar-se a outras pessoas, ter um novo tipo de vida aqui na Terra e garantir seu futuro no céu com Deus, que torna tudo isso possível. Que grande decisão, eu diria.

Em seguida, fiz uma pergunta simples às pessoas reunidas ali naquela noite: "Vocês já pararam para pensar por que, quando entregaram a vida a Deus, não tiveram acesso imediato ao céu? Ou, em palavras mais diretas, se vocês *tomaram a decisão de ir para o céu*, por que ainda estão 'sugando ar' aqui embaixo?". (O pessoal da igreja de Willow conhece esse tipo de eloqüência e sinceridade de seu velho pastor.)

Embora inúmeros esforços tenham sido feitos para explicar "por que estamos aqui", existe um único versículo na Bíblia que esclarece a questão mais do que qualquer outro: "Porque somos criação de Deus realizada em Cristo Jesus *para fazermos boas obras*, as quais Deus preparou antes para nós as praticarmos".[1]

Fomos todos criados para fazer boas obras. Eu fui criado para fazer boas obras. E, com essa mesma confiança, digo que *você* foi criado para fazer boas obras. Isso explica como eu sei que você tem um descontentamento santo martelando na mente. Se estiver vivo e esperneando é porque há uma *obra específica* à sua espera para ser realizada. Há um conjunto de tarefas marcadas com seu nome que Deus lhe deu para levar adiante e que lhe foram dadas muito antes de você entrar em cena. Deus plantou algumas sementes em sua alma e continua responsável até hoje por regá-las, fazê-las crescer e transformá-las em algo significativo, se você permitir.

Se desistir de buscar o descontentamento santo, correrá o risco de desistir também de fazer as boas obras que Deus lhe designou. O objetivo, amigo, é cultivar o solo de sua alma, de modo que o processo de fazer boas obras se desenvolva em sua vida. Em vez de desistir das tarefas, você as *aceita*. Não existe satisfação maior deste lado do céu!

Alguém parecido com você

Permita-me dar uma rápida explicação sobre essa idéia de "obra específica". Apesar de acreditar que seja extremamente importante prestar atenção ao descontentamento santo sempre que isso lhe ocorrer, não acredito que, todas as vezes que algo o tocar fundo, isso se transformará automaticamente num chamado de Deus ou numa tarefa pessoal inspirada por ele. Talvez você se sinta muito comovido com as situações desesperadoras deste mundo, mas pode ser que não tenha encontrado aquela "coisa única" à qual deve dedicar a vida inteira.

---

[1] Efésios 2.10, grifo do autor.

Acompanhe minha linha de raciocínio: há um versículo na Bíblia que diz que, assim que entregamos nossa vida a Deus, começamos a ser transformados "segundo a sua imagem".[2] Trata-se de um projeto a longo prazo, é claro, mas no decorrer do tempo os seguidores de Cristo começarão a se parecer *menos* com eles próprios e *mais* com Cristo. Por isso, numa escala sempre progressiva, os seguidores de Cristo abandonarão seus pontos de vista e começarão a raciocinar de acordo com a perspectiva do céu. Deixarão, aos poucos, de apegar-se ao egoísmo e procurarão meios de servir aos outros. Resistirão à tentação de julgar e, em vez disso, aproveitarão com afinco mais e mais oportunidades de conceder misericórdia.

Quando Deus trabalha em nossa vida, transformando-nos em seguidores de Cristo o tempo todo e, por conseguinte, em pessoas *cada vez mais compassivas*, muitos males da sociedade nos comovem e nos estimulam a entrar em ação. Por exemplo, quando vemos um violento *tsunami* atingir vários países e matar quase 300 mil pessoas, todos nós oramos, preenchemos cheques, enviamos ajuda e juntamos os recursos necessários para prestar assistência às vítimas. (Felizmente, nos dias, semanas e meses subseqüentes à calamidade provocada por aquela onda gigante que abalou o mundo no fim de 2004, milhões de pessoas fizeram exatamente isso.)

No entanto, além dessa comoção a curto prazo que o fez entrar em ação por uma "causa nobre", penso que você deveria estar sempre preocupado com *uma* causa, propósito ou problema que o segura pela garganta e não quer soltá-lo de jeito nenhum. Essa "coisa única" é a situação perturbadora que lhe causa tanto sofrimento à alma a ponto de fazer vir à tona seu momento Popeye — uma situação na qual você sente que *precisa* fazer alguma coisa. Essa "coisa única" produz a experiência da *sarça em chamas*

---

[2] 2Coríntios 3.18.

em sua alma, e você sente o próprio Deus convidando-o a fazer uma parceria *intencional* e *personalizada* com ele para mudar a realidade.

Para Moisés, foi proteger seu povo da violência. Para Bob Pierce, foi buscar alimento para pessoas do começo da fila da comida. Para Martin Luther King Jr., foi promover a reconciliação racial. Para muitas pessoas, foram outras coisas.

E há um motivo crucial para você procurar e tentar descobrir o que lhe despedaça a alma: talvez você seja a única pessoa que Deus esteja procurando para reverter uma tendência nefasta e destrutiva em sua geração. Na verdade, quando você se vir diante do solo sagrado da experiência da sarça em chamas, não se surpreenda se ouvir Deus dizer: "Foi por *isto* que eu o criei e o protegi desta forma! Foi por isto que permiti muitas ocasiões de riso em sua vida, e também momentos de terrível desespero. Nenhuma de suas lágrimas de angústia será desperdiçada. Planejo usar *cada centímetro* de sua luta para fazer o bem nesta área específica. Sei que você está desolado pelo mesmo problema que me aflige, e estou pensando em alguém *exatamente como você* para ajudar-me a resolver este problema!".

Vou repetir a última parte. Deus está pensando em alguém *exatamente como você* — alguém que se aflija no planeta Terra com as mesmas coisas que o afligem no céu — para poder destinar-lhe uma missão. Eu lhe asseguro que existe um descontentamento santo no qual há uma etiqueta com seu nome. Existe alguma coisa acontecendo por aí, e Deus espera que você tome posse dela para ajudá-lo a encontrar uma solução. Se o problema o aflige, também aflige Deus, e ele quer trabalhar *com você* para fazer alguma coisa a esse respeito.

E então, como você vai identificar aquela "coisa única" quando ela aparecer? Se você for principiante, será uma preocupação incômoda que lhe chama a atenção o tempo todo durante o dia e o mantém de olhos arregalados à noite; ela vai, aos poucos, tomando conta de seu coração e estimulando a imaginação. E o forçará a prostrar-se no chão, derramando lágrimas de sofrimento sem parar. Ficará esperneando e gritando dentro de você, clamando por ajuda. Talvez essa "coisa única" — a origem de seu descontentamento santo — não seja capaz de comover outras pessoas da mesma maneira, mas, para você, será devastadora. Conforme meu amigo Max Lucado diz, é aquela "música interior" que ninguém ouve como você.[3]

E eu fico imaginando... qual será a sua "coisa única"?

Seja qual for sua resposta, essa "coisa única" o obrigará a sair do marasmo, levantar-se do sofá e entrar no jogo, no qual você lutará, lutará e lutará até um pequeno progresso começar a aparecer! E mais, quando você disser "sim" para colaborar com Deus no mundo, ele dará início ao processo de canalizar a frustração do descontentamento santo para uma visão positiva que o conduzirá a um futuro cheio de energia e propósitos. No meio do caminho, você ficará tão assombrado com a corrente de alta voltagem do Reino percorrendo-lhe as veias que levantará a cabeça e gritará sem nenhuma inibição: "Eu nasci para isto!".

Adivinhe como fiquei sabendo!

Uma sarça em chamas pessoal

A última coisa que eu queria na vida era ser pastor. No fim de minha adolescência, o pessoal da Willow Creek sempre me ouvia dizer que

---

[3] Max LUCADO. *Cure for the Common Life: Living in Your Sweet Spot*. Nashville: W Publishing Group, 2005, p. 2.

eu estava firme na decisão de dirigir a empresa da família assim que terminasse os estudos na faculdade. Meu pai e seus irmãos passaram trinta e cinco anos cuidando dos negócios, e as setas de minha vida pareciam apontar nessa mesma direção — eu carregaria a tocha da geração seguinte. Eu tinha ética profissional. Tinha grande apetite para negócios. E, logo a seguir, minhas notas na faculdade indicaram que eu estava no rumo certo — ciências econômicas em primeiro lugar... administração de empresas em segundo. Tudo estava perfeito! A não ser por um pequeno problema: a igreja que eu freqüentava naquela época estava tão incrivelmente concentrada em si mesma que não dava o mínimo de atenção às pessoas que moravam perto de nós, mas longe de Deus. Em minha opinião, os líderes e membros da igreja *pregavam* o amor misericordioso, mas não viam necessidade de pôr esse amor em prática.

O problema triplo de cultos mal planejados, a falta de entusiasmo nas pregações e o grande número de cristãos sem ânimo para trabalhar deixavam-me um pouco mais desolado a cada semana, mas eu não sabia exatamente o que fazer para melhorar a situação. Continuei concentrado nas aulas na faculdade e em meu futuro como empresário, mas, ao longo do caminho, havia alguma coisa que me incomodava a alma. Se na época eu tivesse as palavras certas para dar nome àquela sensação, certamente eu diria que se tratava da fase inicial de meu descontentamento santo.

Quando eu era garoto, lembro-me de um domingo em que estava voltando de carro para casa com meu pai após mais um daqueles cultos tremendamente cansativos. Meu pai contou-me que planejava convidar Bob, seu sócio na empresa, para ir à nossa igreja porque ele estava começando a demonstrar interesse em Deus. Pouco tempo antes, Bob ficara sabendo que sua esposa estava com câncer em estado terminal, e a notícia havia deixado a família em total desespero. De acordo com meu pai, apesar de Bob

Onde encontrar o descontentamento santo

estar vivendo muito distante de Deus, a enfermidade da esposa o deixou tão aturdido que ele, finalmente, demonstrou o desejo de conhecer mais a fundo os assuntos espirituais.

Lembro-me de ter ouvido aquele longo discurso persuasivo de meu pai como se fosse ontem. Quando ele disse que planejava convidar Bob para ir à nossa igreja, supliquei-lhe instintivamente que reconsiderasse a idéia.

— Pai, você não deve fazer esse convite a ele! Se houver uma *gota* de interesse nesse homem por assuntos espirituais, vamos acabar com ela em 60 minutos! Ele vai ficar muito mais afastado de Deus do que antes de saber da notícia da doença da esposa. A única esperança dele é ficar longe da nossa igreja! Você *não* pode fazer esse convite!

Meu pai sorriu ao me ver tentando proteger o futuro espiritual de seu sócio, mas havia uma chama ardendo dentro de mim. Embora eu fosse muito jovem, meu descontentamento santo começava a entrar em ebulição.

Pouco tempo depois, quando eu tinha 17 anos, levei à igreja o garoto mais rebelde do colégio. Na verdade, o *pedido* havia partido dele... o que mais eu poderia fazer se foi ele quem se convidou?

O domingo chegou e trouxe com ele dois fatos desagradáveis. O garoto compareceu, e minha igreja apresentou o mesmo de sempre — 60 minutos de total irrelevância. A experiência foi *péssima* para ele. Pelo que sei, nunca mais ele atravessou a porta de outra igreja. Mas a experiência não foi péssima apenas para ele... atingiu-me também.

Dali em diante, meu descontentamento santo continuou a aumentar até os tempos de faculdade, quando, um dia, comecei a ser doutrinado pelo dr. B., o homem que deu impulso a meu primeiro momento Popeye. Quando Gilbert Bilezikian pintou um quadro vibrante de como a igreja de Cristo deveria ser e de como deveria multiplicar-se, um forte desejo de servir aos outros tomou conta de mim. Eu nunca freqüentara uma igreja como aquela. E houve um fato mais perturbador: notei pela primeira vez que havia um *número incalculável* de pessoas na vizinhança desesperadas para receber aquela injeção de ânimo, esperança e entusiasmo que somente uma igreja fundamentada na Bíblia é capaz de proporcionar.

Até que enfim! Tive uma visão clara da beleza, do poder e do potencial das igrejas quando elas trabalham corretamente. Naquela altura, eu sabia que meus melhores planos de dedicar-me aos negócios se dissipariam no ar. No período de um ano letivo, meu carrinho de sonhos virou de rodas para cima quando me dei conta de que havia tanta gente indo para o inferno simplesmente porque os cristãos se recusavam a acolher os perdidos com um abraço sagrado. Aquela constatação foi o suficiente para eu gritar do fundo do coração: "Já agüentei o quanto pude, não agüento mais! O que *importa* são os perdidos. E essa gente afastada de Deus merece conhecer igrejas melhores que as de hoje!". Ficou claro que dar início a uma igreja autêntica, nos moldes da igreja de Atos 2, passou a ser aquela "coisa única" de minha vida.

Meu diálogo da sarça em chamas com Deus ocorreu quando eu tinha 22 anos. Deus disse: "Bill, vou transformar seu descontentamento santo — seu ataque de energia e frustração — em algo positivo. Sei quanto esse assunto o aflige. Ele me aflige também, por isso vou canalizar sua energia e usá-lo para *mudar a realidade* daquela gente perdida. Vou dar-lhe uma visão arrebatadora para proporcionar um lugar onde *todas* as pessoas — por mais distantes que estejam de mim — sejam acolhidas, encorajadas e tenham uma vida melhor porque tenho um parceiro que se importa realmente com elas".

A próxima providência tomada foi alugar um cinema nas proximidades de Willow Creek com o dinheiro ganho com a venda de tomates de porta em porta (é isso que os filhos dos agricultores fazem, penso eu) e pedir a três colegas que me ajudassem a organizar uma igreja para quem não tinha igreja.

Sou pastor sênior da Igreja da Comunidade de Willow Creek há três décadas, amigos, e digo com toda sinceridade que aquele mesmo descontentamento santo me impulsiona até hoje.

Alguns meses atrás, a Willow comemorou o 30º aniversário. Houve muitos discursos bonitos a respeito da visão e da coragem para organizar a igreja, mas, no íntimo, eu sabia qual era a verdade. Não houve nada de bonito ou nobre em minha decisão de organizar a Willow: eu simplesmente tive de fazer aquilo! O descontentamento santo borbulhando dentro de mim teria me consumido se eu não houvesse dado o primeiro passo. O processo quase chegou a tirar-me a vida, mas o preço teria valido a pena, porque muitos perdidos foram aceitos em nossa comunidade! Quanto mais o tempo passa, mais certeza tenho de que não trocaria, por nada deste mundo, a satisfação e a alegria que sinto até hoje por ter seguido a orientação de Deus para fazer "boas obras".

Uma força irrefreável para Deus

Vou deixar para você e Deus a tarefa de descobrir qual é sua "obra específica", mas, enquanto pensa no assunto, gostaria de dar-lhe alguns exemplos de amigos meus que estão pondo em prática aquela "coisa única". Talvez esses exemplos sirvam para ajudá-lo.

Tenho um amigo que se aposentou depois de trabalhar como aviador. Tempos atrás, no começo de nossa amizade, fiquei sabendo que ele se afastara de Deus na época do colégio, e essa decisão o fez trilhar um caminho terrível e ameaçador na adolescência. Posteriormente, ele se rendeu a Cristo — desta vez com total sinceridade — e entendeu que poderia ser útil no ministério para colegiais de sua igreja. Desde então, ele abre as portas de sua casa todas as segundas-feiras à noite para servir refeição a um grupo enorme de estudantes que se reúne ali para um jantar de confraternização. Para meu amigo, a segunda-feira é o melhor dia da semana.

Um casal conhecido meu odeia saber que há muitos campos ligados à igreja com poucos terrenos ajardinados e pouca demonstração da beleza inigualável do Criador. Vinte anos atrás, eles decidiram remodelar o local com plantas e vários canteiros de flores ao longo da entrada principal da Willow. O casal cuida do local até hoje.

Há um carpinteiro na Willow que se tornou amigo meu. Quando ele era menino, o pai nunca se importou em cuidar da família ou consertar o que estava quebrado na casa. As lembranças desse pai ausente incutiram nele o desejo de prestar serviço artesanal gratuito a um grupo de mães solteiras da igreja.

Uma mulher conhecida minha teve de enfrentar um divórcio doloroso e humilhante anos atrás e não tinha a quem recorrer. Sofreu durante a fase angustiante da recuperação e hoje ela come, bebe, dorme e respira o ministério da igreja para pessoas divorciadas.

Um pai, integrante de meu círculo de amigos, sofreu muito emocionalmente por ter sido rejeitado pelo próprio pai. Hoje, ele é a peça principal de nossas reuniões de pai e filho e pai e filha em Camp Paradise, um centro de retiro espiritual da Willow localizado na parte superior da península de Michigan.

Um homem de negócios que conheço tinha lucro de seis dígitos por ano, mas foi à falência por ter usado o cartão de crédito sem critério. A situação provocou-lhe um sentimento de ódio, chegando a afetá-lo em termos emocionais e espirituais, e ele passou a desprezar o estigma social ligado às pessoas falidas. Mas, assim que se reergueu, ele ouviu falar do ministério de planejamento financeiro Encontrando Liberdade Financeira de nossa igreja e tornou-se consultor de finanças para casais jovens. Podemos imaginar a alegria desse homem quando ele diz aos casais: "Eu me precipitei num terrível buraco financeiro, mas vocês não precisam passar por isso! Quero mostrar-lhes como não cair nessa armadilha".

Não importa se você está vivendo neste planeta há oito anos ou oito décadas. Eu *insisto* com você para pensar naquela "coisa única" no mundo que tanto o aflige quando você vê, quando ouve e quando chega perto. Essa "coisa única" é *exatamente* aquela que criará tensão e ansiedade, extrairá capacidade suficiente para você entrar em ação e provocará um turbilhão interno do qual você não poderá livrar-se a não ser vestindo o uniforme e entrando no jogo.

Seria a injustiça de ver pessoas vivendo em pobreza extrema e sem casa para morar? Seria ver casamento sem amor, criança violentada ou epidemia de aids? E quanto ao racismo, práticas comerciais ilícitas ou políticos corruptos?

Eu gostaria de saber qual é a sua "coisa única".

Talvez seja uma igreja mal conduzida ou agonizante, de seguidores de Cristo concentrados em si mesmos ou sem entusiasmo para prestar culto a Deus. Talvez seja ver jovens divertindo-se muito e trabalhando pouco — uma *geração* inteira cada vez mais afastada de Deus.

Aquela "coisa única"

Recentemente, ouvi a história de um casal, morador de uma cidadezinha, cujos filhos adolescentes não queriam freqüentar a igreja. O problema era este: havia apenas uma igreja na região e os pais queriam muito que os filhos participassem dos trabalhos da comunidade cristã. Exaustos das brigas semanais sobre o assunto, eles não sabiam a quem recorrer. Evidentemente, aquela pequena igreja estava agonizando, e a programação para a juventude deixava muito a desejar. Num fim de semana, durante um lampejo de discernimento, os pais perguntaram aos garotos: "Há *outra* igreja que vocês gostariam de freqüentar?". Eles mencionaram uma igreja a mais de 110 quilômetros de distância, na qual os estudantes reuniam-se todas as quartas-feiras à noite — o pior horário da semana para um pai e uma mãe atarefados com atividades profissionais. Como *aquilo* poderia dar certo?

O pai não se surpreendeu ao saber do interesse dos filhos por aquela igreja. Ele exercia medicina na cidade, e vários de seus pacientes faziam o longo caminho de ida e volta todas as semanas em razão dos programas de alta qualidade, cheios de energia e desafios proporcionados pela igreja. *Estou cansado de implorar a meus filhos que gostem da igreja*, ele pensou. *Se eles se entusiasmaram tanto com o grupo que se reúne a uma distância tão grande daqui, talvez seja conveniente fazer essa viagem por uns tempos.*

Na semana seguinte, movidos por um momento Popeye, ele e a mulher muniram-se de coragem, ajuntaram algum dinheiro e alugaram um ônibus gigante.

— Reúnam todos os seus amigos — o pai disse aos filhos.
— Eles deverão encontrar-se conosco em frente à nossa casa na quarta-feira, às 17 horas. E nada de atrasos! Vou dirigir o ônibus e vocês terão de adivinhar aonde estamos indo.

— Você não está falando sério — disse um dos filhos.

— Estou. E não quero ver nenhum assento vazio no ônibus na quarta-feira.

O pai estava sorrindo, mas o filho ouvira uma conversa sobre o preço do aluguel do ônibus e sabia que nenhum assento deveria ficar vazio.

Chegou a quarta-feira, e que festa foi para aqueles garotos! Eles jamais se esqueceram daquela viagem de ida e volta de três horas. Que passeio! A viagem foi a primeira de mais de *cem* que se seguiram. Dois anos e meio depois, o médico continua trabalhando de dia na quarta-feira e dirigindo o ônibus à noite para cerca de 70 garotos que, de outra forma, teriam permanecido espiritualmente à margem da vida por um longo, longo tempo.

Agora, voltemos à sua "coisa única".

Se continuar vivo depois de ter lido estas linhas — e presumo que esteja —, Deus tem algumas boas obras para *você* envolver *sua* vida nelas. Se pular fora, amigo, perderá a oportunidade mais importante de sua existência terrena — a oportunidade de ser uma força irrefreável para o bem deste mundo.

Parte II

Três mudanças contrárias à
nossa reação instintiva

**Como desenvolver o
descontentamento santo**

4

Alimentando a frustração

Agora que você está todo animado para saber o que não é capaz de agüentar, serei extremamente prático nos próximos capítulos. Vou apresentar algumas observações para ajudá-lo a lidar com o descontentamento santo assim que você descobrir qual é ele. A primeira é esta: quando encontrar seu descontentamento santo, *alimente-o*!

Sei que isso contraria nossa reação instintiva, portanto vou explicar.

Quando deparamos com alguma coisa que produz frustração e prejudica a saúde de nossa alma, temos a tendência de nos afastar dela. E rápido! Sentimos o mal-estar do descontentamento santo aproximar-se e, instintivamente, queremos curá-lo. Revoltados com a situação ao redor, sentimos o desejo de recuar. Alugamos um filme na locadora só para manter distância do problema. A verdade, porém, é esta: o melhor que você tem a fazer é *aproximar-se* do que lhe causa descontentamento santo até entender qual é a direção de Deus e que tipo de ação deve ser realizada. Por exemplo, se o sofrimento dos pobres produz em você um descontentamento santo, *aproxime-se mais* dos pobres em vez de afastar-se deles.

Estou falando sério: *aproxime-se* em vez de afastar-se. Reorganize sua vida para poder ver com outros olhos as terríveis condições nas quais algumas pessoas são forçadas a viver. Aceite de bom grado essa inquietação que o invade quando ouve, com sinceridade, a frustração daqueles que estão presos na armadilha da pobreza advinda de várias gerações.

Paixão incipiente e uma atiradeira

Uma de minhas personagens favoritas do Antigo Testamento é o rei Davi. Ele tornou-se famoso mesmo antes de ser ungido rei, principalmente por causa do conhecido episódio com um gigante e uma pequena atiradeira. Adoro essa história!

Um dia, aquele adolescente imberbe recebeu a ordem do pai de deixar o rebanho do qual tomava conta e levar alimento e suprimentos para os três irmãos mais velhos que estavam lutando no campo de batalha. O jovem Davi não esperava ver nenhum acontecimento dramático; seu trabalho era equivalente ao de um motoboy: entregar a pizza e voltar rapidamente.

Ao aproximar-se, ele ouviu um filisteu de quase 3 metros de altura, chamado Golias, falando baboseiras sobre o Deus amado pelos israelitas e sobre os próprios israelitas. Posso imaginar os comentários difamatórios de Golias: "O deus de vocês é patético! Vocês não vêem que ele é um deus pequeno e sem forças diante do qual vocês se curvam, seus fracotes? Quem é homem suficiente para *me* enfrentar cara a cara? Vou mostrar um pouco de minha força para vocês!".

A zombaria vinha acontecendo já há um bom tempo. Lemos em 1Samuel 17.16: "Durante quarenta dias o filisteu aproximou-se, de manhã e de tarde, e tomou posição". Nos três dias em que ali esteve, Davi foi forçado a ouvir o gigante ridicularizar o seu Deus. Ofendido e irritado com aquele palavreado vulgar, Davi olhou para seus companheiros e perguntou: "Ei, por que vocês não mandam esse sujeito calar a boca?!".

Por certo os companheiros de Davi imaginaram que ele estivesse maluco. "Hein?... Só porque ele é grande demais?", Davi deve ter dito.

Somente a armadura de Golias pesava o dobro do adolescente franzino. Mesmo assim, o futuro guerreiro *recusou-se* a ficar parado enquanto alguém zombava de seu Deus poderoso. Ele tinha uma resposta para a pergunta "o que você não é capaz de agüentar?" e estava determinado a fazer alguma coisa! Davi aproximou-se do rei Saul e pediu permissão para matar Golias em nome de toda a nação de Israel. Ele disse mais ou menos o seguinte: "Deixe-me enfrentá-lo! Eu posso fazer isso! Tomo conta do rebanho inteiro de meu pai há anos. Sempre que um leão ou um urso pega uma das ovelhas, eu corro atrás, agarro-o até matá-lo e tiro a ovelha da boca do animal, sem nenhum problema. E planejo fazer o mesmo com Golias. Eu *preciso* fazer isso! O senhor não espera que eu fique sentado aqui enquanto aquele sujeito difama o nome e o caráter do nosso grande Deus, não é mesmo? Com todo o respeito, ninguém mais é capaz de fazer isso, senhor!".

Adoro o espírito competitivo daquele garoto! Embora Davi fosse muito jovem, o rei Saul o levou a sério. Se você examinar a história com cuidado, saberá por quê. Sob as palavras de Davi havia um coração palpitante, ansioso por fazer esta declaração: "Já agüentei o quanto pude, rei Saul, não agüento mais!". Antes de tudo ter sido dito e feito, o momento Popeye daquele jovem aflorou e, como um louco, ele correu a toda velocidade em direção ao gigante Golias sem nenhum aparato, apenas com uma paixão incipiente e uma atiradeira. (Até que ponto *aquela* reação foi racional? Ele não tinha nenhum plano B. Tinha apenas o apoio relativo do rei. O que Davi *teve*, contudo, foi a atenção de Deus.)

Deus viu em Davi um descontentamento santo — uma paixão incipiente e desenfreada para defender a honra de seus compatriotas. Sua paixão viria a mudar o mundo com um pouco da ajuda sobrenatural de Deus, que transformou uma pedra lisa num míssil movido a laser, destinado a atingir a testa de Golias. A meu ver, Deus nunca teve a intenção de deixar Golias partir vitorioso; ao contrário, estava à espera de *alguém* para apresentar-se e dizer: "O que te preocupa, Deus, também me preocupa. O que agita teu espírito, Deus, também agita o meu. Se quiseres usar-me para ajudar a solucionar o problema que nós dois estamos vendo... estou pronto!".

Davi foi um homem que arregaçava as mangas quando o inimigo tinha possibilidade de vencer. Ficava *maluco* quando governos tiranos subjugavam os indefesos. Para ele, era impossível ficar sentado vendo um grupo de pessoas ser desmoralizado ou sentir-se inferiorizado. Ele, porém, não fugiu de seu descontentamento santo; ao contrário, correu em sua direção.

Amigo, por mais difícil que a situação possa ser, você não deve fugir dela. Corra *em direção* aos gigantes que ameaçam impedir o progresso de seu descontentamento santo! *Aproxime-se* de seu descontentamento santo, porque quando você o alimenta em vez de fugir dele Deus lhe dá novas visões para você fazer parte da solução. Não se afaste, para poder captar novas idéias e novos sons que alimentarão o ataque de frustração em sua alma. Para quê? Para que todo o estoque de energia dentro de você seja usado por Deus para fazer algumas coisas *positivas* no mundo! Acredite em mim: esse estoque de energia não se produz sozinho. Se quiser ser uma força voltada para o bem, como Davi, você precisa *entrar em ação* para levar adiante esse desejo ardente que Deus colocou em seu coração.

Exponha-se cada vez mais

Vi essa idéia ser posta em prática novamente alguns meses atrás, enquanto conversava com um pastor hispânico a respeito de seu descontentamento santo. Ele dirige uma igreja em franco desenvolvimento, cujos membros se originam de várias culturas do mundo. O ministério dessa igreja é um dos melhores que tive o prazer de conhecer e estar sempre em contato. Durante a conversa, perguntei como ele conseguia dirigir uma igreja que acolhia com amor pessoas de todas as raças.

— Cresci numa igreja "de brancos", cujos únicos hispânicos eram os membros de nossa família — ele disse. — Sentíamo-nos humilhados e desvalorizados todas as vezes que íamos à igreja. Éramos sempre excluídos de tudo e sujeitos a toda sorte de comentários desagradáveis.

— Havia no ar um ódio palpável — ele prosseguiu — e, um dia, a situação chegou a tal ponto que não pudemos suportar. Um a um, primeiro meus pais, depois meus irmãos e irmãs... todos se afastaram daquela igrejinha, sem jamais retornar.

O pastor descreveu a experiência angustiante de ouvir alguém dizer, de maneira inequívoca, quem era importante para a igreja e quem não era... e depois perceber que sua família fazia parte da categoria dos "não importantes". Ele viu o pai deixar a igreja desiludido, acompanhado dos filhos.

— Mas o dia em que vi minha *mãe* abandonar a igreja — ele disse —, decidi dedicar a vida inteira à criação de uma igreja próspera, uma igreja semelhante à de Atos 2, que acolhesse *todas* as raças e culturas, mesmo que fosse a última coisa que eu teria de fazer na vida.

Ele viveu com aquela convicção até o dia em que Deus lhe deu a visão de dar início a uma comunidade de povos de várias culturas. Creio que a liderança fiel e apaixonada que ele demonstra hoje teve início com um descontentamento santo que concorda com Deus que o racismo nas igrejas é inaceitável.

O pastor conhecia muito bem as realidades existentes, mesmo dentro das quatro paredes de uma igreja, saiba disso. Em vez de submeter-se a elas, ele as sobrepujou. Permitiu que a discriminação sofrida pela família alimentasse seu talento para mudar a igreja para melhor no cantinho do mundo em que vivia. Gosto de pessoas como ele, que se recusam a bocejar enquanto as congregações perdem o rumo, porque os maiores "gigantes de minha terra" são as igrejas que, diariamente, não cumprem suas funções. Elas se perderam e mal conseguem sustentar-se. *Nada* é capaz de me arrasar mais que isso!

Freqüento uma igreja que luta para sobreviver numa pequena cidade onde descanso no verão. Na verdade, parte de meu propósito explícito de freqüentá-la se deve ao fato de que se trata de uma igreja que luta para sobreviver. Todas as semanas, sento-me no mesmo lugar — na terceira fileira a contar da última, no lado do corredor. E todas as semanas eu sinto a agonia de assistir ao culto numa igreja derrotada.

A terrível realidade da luta dessa gente sempre me comove. Sei disso porque, após cada culto a que assisto com uma congregação de 50 pessoas, volto para casa segurando a direção do carro com mais firmeza, com um sentimento de culpa um pouco mais acentuado e um pouco mais entusiasmado para continuar a lutar em prol da saúde das igrejas.

Quando exponho o coração àquilo que tanto me arrasa, sinto uma necessidade cada vez mais urgente de levar adiante minha missão pessoal: mesmo que seja a última coisa que eu tenha de fazer neste mundo, dedicarei cada partícula do restante de minha vida para ajudar a melhorar as igrejas. Terei sempre um guardanapo em volta do antebraço e farei o possível para que as igrejas e seus líderes tenham possibilidade de ser bem-sucedidos.

Evidentemente, assim que me afasto um pouco de minha triste experiência de fim de semana, eu me consolo pensando nas infinitas possibilidades de trabalho que tenho em razão de igrejas sem vida como essa. Há muitas tarefas a ser feitas ali! Também me consolo por saber que algumas igrejas estão prosperando. Mas digo a mim mesmo: se eu freqüentar igrejas semelhantes à Willow, North Point, Fellowship, Batista Salém ou outras dezenas que conheço, vou pensar que todas as igrejas do planeta são exemplos de saúde e vitalidade. Não, só vejo o poder da missão que Deus me deu quando entro em igrejas sem objetivos, pouco convidativas e sem vida.

Meu argumento? Assim que você descobrir seu descontentamento santo, faça o possível para alimentá-lo. Repito, se isso soa contraditório, é porque realmente é. Mas, conforme costumo dizer, o maior perigo a respeito do descontentamento santo é que a energia diminui. O fogo que o alimenta se apaga. O ataque de frustração se esvai. Por mais energia que tenhamos diante de uma situação que nos deixa arrasados, o tempo e a repetição incumbem-se de acabar com ela. Mais um prato de comida para um órfão faminto, mais um ensaio de música tarde da noite para um artista, mais uma aula de boas maneiras para uma criança carente e, se não formos diligentes para alimentar nosso descontentamento santo, certamente desanimaremos,[1] conforme disse o apóstolo Paulo.

Decida agora que você nunca se afastará daquilo que o deixa arrasado. Ao contrário, exponha-se *cada vez mais*... e segure firme seu chapéu, porque a *realidade* da vida vai sacudir o mundo ao redor quando você começar a dividir espaço com seu descontentamento santo! O Popeye precisava amassar a roupa e sujar as mãos quando tinha de agir em favor do que não podia agüentar. Você também vai precisar. Uma coisa, porém, é certa: você não se arrependerá um momento sequer de ter vivido com a energia que alimentou seu descontentamento santo.

---

[1] Cf. Gálatas 6.9.

Não desista

A esta altura, talvez alguns leitores pensem, com o olhar parado: *Bill, eu ficaria muito feliz em alimentar meu descontentamento... se eu soubesse qual é!* Se você se enquadra nessa categoria, faria um trato comigo? Por favor, não desista. Talvez demore um pouco para descobrir, mas leia isto atentamente: *nunca* é tarde demais para localizar seu descontentamento santo, e talvez uma pequena experiência possa fazê-lo conhecer o que não é capaz de agüentar.

Creio firmemente que, se você expandir seu mundo, se for capaz de expor-se a experiências nobres que ampliam o pensamento e aproveitar oportunidades inovadoras de servir alguém, então *alguma coisa* neste mundo repleto de necessidades o agarrará e não o soltará mais.

Amplie seu mundo. Viaje para lugares fora de seu circuito normal. Visite outros ministérios e organizações. Conheça a região carente de sua cidade. Misture-se aos pobres. Faça viagens missionárias a lugares como aqueles que comoveram Bob Pierce e Madre Teresa. Visite uma clínica para aidéticos ou um lar para desamparados. Pegue o telefone, ligue para a Cruz Vermelha e pergunte a quem o atendeu como deve fazer para trabalhar ali. Nunca se sabe a que lugar uma dessas atitudes poderá levá-lo!

Poderá haver uma cena, poderá haver um som que o faça levantar-se e dizer: "Agora sei o que não sou capaz de agüentar!". O sentimento de culpa dentro de você surgirá a ponto de obrigá-lo a fazer alguma coisa, caso contrário explodirá. Finalmente, você encontrará uma sarça em chamas e ouvirá Deus dizer: "Que bom vê-lo aqui! Eu sabia que você não desistiria! Venha, vamos bater um papo...".

Dois anos atrás, meu amigo Bob Atkins deixou o cargo de presidente de uma empresa muito bem-sucedida para aposentar-se.

Em conversas sinceras que tivemos durante nossa longa amizade, percebi quanto ele amava os desafios e os riscos para conseguir levar adiante uma empresa internacional e obter lucros extraordinários. Se você perguntar do que ele mais gostava, Bob responderá que a maior emoção de sua vida durante muitos e muitos anos foi criar departamentos formados por pessoas de alta competência e extrair o melhor de seus dirigentes. Bob partia do princípio fundamental de que todos desejam fazer parte de uma equipe vencedora, portanto corria atrás do lucro para a empresa trimestre após trimestre, incentivando seu pessoal a ter objetivos cada vez mais altos.

Curiosamente, sem Bob saber, Deus estava planejando algo significativo para ele ao longo de todos aqueles anos de trabalho como alto executivo da empresa. Deus estava preparando uma missão perfeita para ele — uma missão que se beneficiaria do conhecimento industrial de Bob *e* de seu talento para formar equipes.

Dias depois que o furacão Katrina atingiu a região da costa do Golfo, no verão de 2005, os membros e voluntários da Willow Creek reuniram-se para elaborar um plano de ação com a finalidade de prestar ajuda ao povo duramente atingido pela catástrofe. Bob não compareceu, mas seu amigo Dave foi um dos voluntários presentes àquela reunião. Um dos itens da agenda foi encontrar candidatos dispostos a passar nove semanas em Waveland, Mississippi, para colaborar com as equipes de voluntários que viriam de outros lugares. No entender de Dave, aquela era a função *perfeita* para Bob, portanto indicou o nome dele e disse ao grupo que entraria imediatamente em contato com o amigo para informar-lhe a respeito dos planos a curto prazo destinados a ele. (Nem todos gostam de ter amigos como Dave.)

Willow havia angariado um bom dinheiro para ajudar o povo após a passagem do furacão e providenciara dois ônibus lotados de voluntários para visitar as áreas atingidas, levando semanalmente alimentos, roupas e abrigo a quem perdera tudo na catástrofe.

Faltava apenas alguém com capacidade para lidar com dinheiro e com olhos e ouvidos atentos para coordenar aquela grande equipe de voluntários.

Adivinhe quem teve uma conversa com Bob naquele dia — uma conversa ao lado da sarça em chamas.

— Foi uma conversa franca e direta — Bob contou-me recentemente. — "Você precisa ir, Bob. E já!", foi tudo o que Deus disse.

O momento Popeye de Bob ocorreu logo após ele ter visto todas as noites, nos noticiários da televisão, os efeitos causados pela passagem do Katrina. Em companhia de um dos pastores da Willow, ele fez uma viagem a Waveland para investigar a extensão da tragédia e constatou que a situação era muito, muito pior do que imaginara. Com a força produzida por seu momento Popeye, ele voltou para casa, conversou com a mulher, orou para confirmar a decisão tomada e arrumou as malas.

— As necessidades do povo eram grandes demais, e eu entendi que precisava ajudar — disse Bob. — Durante muitas décadas eu me contentei perfeitamente em preencher cheques e enviá-los a vários lugares: ministérios e associações de caridade sem fins lucrativos. Mas, desta vez, o chamado foi *pessoal*. Desta vez, vi com meus próprios olhos o sofrimento de cidades inteiras e não consegui ficar alheio a tudo aquilo. Eles haviam perdido casas. Haviam perdido bens materiais. Haviam perdido a dignidade. E, para a maioria, a indenização do seguro não daria sequer para aliviar a desolação que se abatera sobre a vida deles.

— *Ninguém* deve viver como eles estavam vivendo — Bob disse em voz baixa. — Não deveria existir sofrimento como esse.

Bob e outros voluntários da Willow elaboraram um plano. Dias depois, Bob se viu dentro de uma barraca semelhante a um circo num estacionamento deserto de uma loja de departamentos na lamacenta Waveland, Mississippi. Depois de alugar geradores, preparar refeições e separar roupas, ele e sua equipe estavam prontos para servir.

Famílias começaram a chegar e foram imediatamente conduzidas a corredores bem organizados, lotados até o teto de gêneros de primeira necessidade, como dentifrícios, caixas de biscoitos, latas de leguminosas, garrafas de água e roupas novas... tudo grátis.

— Com o passar dos dias, várias coisas começaram a faltar, inclusive roupas de baixo — contou Bob —, e tivemos de parar o que estávamos fazendo para orar. Vinte minutos depois, como num passe de mágica, apareceu um caminhão do Jockey, lotado de roupas de baixo. O motorista disse: "Não sei o que vocês vão fazer com tudo isto, mas...". Caímos na gargalhada. "Sabemos muito bem o que fazer", dissemos. "Estávamos aguardando sua chegada."

A participação de Bob em Waveland foi, de várias formas, o passo mais natural que ele poderia ter dado na vida. Poucos anos antes, ele havia lido o livro inspirador de Bob Buford intitulado *Half Time*.[2] Ao terminar a leitura, ele sentiu o desejo de entregar-se a uma missão mais importante que obter lucros. Assim como Buford, ele receava tornar-se um homem rico de vida maçante. Por intermédio da Willow Creek, envolveu-se numa iniciativa chamada The Storehouse [Depósito], um local para armazenar materiais de construção excedentes, doados por empresas do ramo. Esses materiais são enviados a famílias pobres que não têm condições de trocar torneiras com vazamento e outras peças quebradas.

— Esse trabalho coloca-me nas mãos dos menos favorecidos — diz Bob.

E ele está certo. Algumas dessas famílias passaram a ter torneiras valiosas, de alto luxo, em suas casas modestas... Incrível!

Bob e alguns companheiros formaram uma equipe de voluntários para trabalhar no Depósito de Chicago e deram ao grupo

---

[2] Publicado em português com o título *A arte de virar o jogo no segundo tempo*, São Paulo: Mundo Cristão, 2005.

Como desenvolver o descontentamento santo

o nome de "Homens prudentes". Observo como eles levam essa missão a sério, como planejam estratégias a longo prazo, como se dedicam para não abandonar a causa. Eu balanço a cabeça e penso: *É o que acontece quando um grupo de homens inteligentes, consagrados e com um desejo ardente no coração se une, determinado a batalhar em prol do Reino.* Não há o que contestar!

No ano passado, o pessoal do Depósito ficou sabendo que um abrigo para mulheres no centro de Chicago, chamado Tabitha House, estava em franca decadência. Mais de 30 mães solteiras e desempregadas moravam ali, e as condições eram péssimas: cozinha em ruínas, banheiro desmoronando, luminárias destruídas ou sem funcionar, rachaduras no chão e fiação elétrica exposta. Imediatamente os "Homens prudentes" arregaçaram as mangas e começaram a trabalhar. Terminada a tarefa dos funcionários e voluntários do Depósito, com o auxílio de donativos, o Tabitha House passou a exibir uma cozinha com eletrodomésticos modernos, TV para as crianças no salão de brinquedos no pavimento inferior e computadores para a nova sala de estudos... sem falar da reforma da estrutura da casa, do chão até o teto.

Graças a pessoas como Bob, que têm uma convicção inabalável de servir aos menos favorecidos, hoje existem cinco Depósitos em funcionamento — além da unidade em Chicago, os funcionários e voluntários do Depósito cuidam dos moradores dos Apalaches, West Virginia; da região carente no centro de Los Angeles; do Bronx; e, a partir de 2006, dos moradores de Waveland, Mississippi.

Permita que a história desse homem de cerca de 60 anos, que encontrou mais satisfação em servir do que encontraria em dez empresas de alta rentabilidade, sirva de exemplo para você continuar a busca para saber qual é o descontentamento santo de *sua* vida.

Nunca é tarde demais.

5

Uma luta digna de ser enfrentada

Todo mês de agosto, a Associação Willow Creek realiza um evento para líderes chamado The Global Leadership Summit. Os grupos encarregados da organização trabalham com meses de antecedência para reunir os melhores palestrantes de uma vasta gama de especialidades dentro do campo da liderança. Embora as palestras sobre o tema em debate sejam feitas no palco principal em Barrington, elas são transmitidas via satélite para 270 localidades dos Estados Unidos e do mundo. O objetivo é que as igrejas possam convidar líderes de suas comunidades e de outras igrejas vizinhas para aprimorar seus dons de liderança sem ter de viajar para Willow Creek.

Após doze anos, o êxito do evento continua a surpreender a todos nós que demos uma mãozinha para levá-lo adiante, porque nos lembramos muito bem da reação instintiva responsável pelo início daquele empreendimento.

No início da década de 1990, comecei a notar uma tendência. Em minhas viagens semanais pelo país, encontrei pastores e pastoras clamando por ajuda no campo da liderança. A maioria daqueles homens e daquelas mulheres fazia parte de minha lista dos "mais respeitados", e muitos deles estavam bem mais empenhados que eu na missão de construir igrejas saudáveis. De qualquer modo, queriam *aprimorar* a liderança em suas respectivas igrejas, mas não tinham maneiras práticas de fazer isso. Eu era um alvo fácil, e eles me escolheram para ajudá-los.

O problema parecia fácil de ser solucionado, mas, quando comecei a procurar expedientes sólidos para apresentar-lhes sugestões, notei que não existia um só evento direcionado para o dom espiritual de liderança. Finalmente, meu descontentamento chegou ao limite. Num ataque de frustração, convidei meu colega Jim Mellado, presidente da Willow Creek Association, para ir a meu escritório.

Aquele momento Popeye suplantou todos os outros.

— Jimmy, já agüentei o quanto pude, não agüento mais! Quando voltar de minhas férias de verão em Chicago, vou reunir alguns professores e, juntos, daremos algumas aulas de liderança. Se cinco pessoas comparecerem, eu me dedicarei de corpo e alma a essas cinco — lembro-me de ter dito a ele.

— Farei isso apenas para aliviar essa raiva acumulada que estou sentindo! A única maneira de me livrar dessa raiva é atacá-la de alguma forma que tenha ligação com ela. O que Deus fizer dali em diante será responsabilidade dele. Só sei que não posso continuar a viver assim! A igreja só triunfará se seus líderes triunfarem, e os líderes da igreja não triunfarão, a menos que aprendam com os líderes bem-sucedidos que os precederam.

Eu estava pronto para a briga. Estava muito irritado. Mas aquela grande irritação — acompanhada da decisão de atacar o problema (descobri-lo e alimentá-lo, certo?) — foi o que deu origem ao Leadership Summit. Depois de passar três anos entre as quatro paredes da Willow, decidimos expandir nosso mundo via satélite. Isso foi possível em 1998, e mais de 5.500 líderes se beneficiaram do sólido treinamento bíblico naquele ano; hoje, ele alcança mais de 100 mil líderes. Pela graça de Deus.

Este é o ponto que desejo destacar: você não pode, de maneira nenhuma, desistir de procurar qual é seu descontentamento santo só porque o medidor de riscos registra um número alto. Apesar de minha grande determinação de iniciar o Leadership Summit naquele primeiro ano, eu sabia que estava assumindo um *caminhão* de riscos. Havíamos contratado um grande número de pessoas e despendido alta soma de dinheiro naquele projeto, sem ter idéia se daria certo. Se fracassasse, o efeito destrutivo poderia causar sérios prejuízos a nosso ministério durante os meses seguintes. Mesmo assim, decidimos que levaríamos o projeto adiante.

Se houver riscos, lute até o fim

Às vezes, imaginamos que vimos o ápice do risco aparecer e desaparecer em determinada situação, mas, de repente, enfrentamos um desafio que *realmente* nos faz perder a confiança. Embora o lançamento do Leadership Summit tivesse corrido grandes riscos de não dar certo, mais arriscada ainda foi a decisão de, vários anos depois, transmitir as palestras para outros países.

Numa noite fria de novembro de 2004, reuni-me numa sala com outros líderes que supervisionavam as atividades da Willow Creek Association, a qual atua como centro de recursos sem fins lucrativos para mais de 12 mil igrejas associadas. Dormi mal na noite anterior por saber que a conversa na reunião teria enormes conseqüências no futuro, tanto para a Associação como para mim. Não sei quanto a você, mas para mim esses momentos são muito importantes!

Falamos de outros itens da agenda e fizemos um rápido intervalo antes de voltarmos a nos reunir para discutir idéias a respeito de investir milhares de horas e milhões de dólares no

Global Leadership Summit. Nada semelhante havia sido feito antes, portanto a primeira hora de discussões foi abarrotada de perguntas. O que funciona nos Estados Unidos funcionaria em outras culturas e para outros grupos de pessoas? A necessidade de desenvolvimento de liderança é a mesma que a nossa nesses outros países? O relacionamento de nossa equipe de liderança com parceiros internacionais seria suficiente para levar o projeto adiante com excelência?

Para realizar um Global Leadership Summit — e realizá-lo bem — seriam necessárias quantidades *enormes* de fé e firme determinação de grande parte da equipe principal. Sem falar das questões financeiras que deveriam estar em perfeita sintonia para que pudéssemos realizar esse tipo de evento não uma só vez, mas nos anos seguintes também. O primeiro Global Leadership Summit teve início no mês de setembro seguinte, pela graça de Deus. Tive de viajar ao exterior para saudar pessoalmente sua primeira sede na Noruega. Tão logo fiz a minha parte e me sentei na primeira fileira para assistir ao primeiro vídeo, meu coração se encheu de orgulho. *Esta é a força inegável, insaciável e irrefreável que só se concretiza quando lutamos para encontrar nosso descontentamento santo!*, pensei. Assimilei as palestras naquela semana com humildade e agradecimento por saber que dezenas de milhares de pastores e líderes se beneficiariam daqueles eventos. E, por conseguinte, as igrejas deles também seriam beneficiadas.

Nada poderia ter-me deixado tão satisfeito.

Quando os obstáculos são mais altos do que antes... quando a ameaça de fracasso parece um animal enjaulado prestes a atacar... quando o risco gigantesco o faz perder a fome... é aí, amigo, que você precisa entrar na batalha de peito aberto e lutar até o fim em prol de seu descontentamento santo. Depois de descobri-lo, você deverá alimentá-lo. Mas é verdade também que, quando a luta se tornar arriscada, *precisará* enfrentá-la.

Concentre-se na esperança

No restante deste capítulo, gostaria de dar-lhe uma idéia do significado de aceitar os riscos e *lutar* por seu descontentamento santo quando as águas serenas do mar nas quais você navega se tornarem repentinamente turbulentas. Há uma mulher que mora, trabalha e presta serviços comunitários em Detroit. Ela personifica essa evolução tão bem quanto qualquer outra pessoa que conheço.

Tive o privilégio de entrevistar Eleanor Josaitis ao vivo durante um dos eventos de liderança que mencionei, no Leadership Summit de 2005. Suas respostas comprovaram uma convicção que guardo dentro de mim há muito tempo: se houver alguma coisa digna de você dar a vida por ela, certamente terá de enfrentar grandes riscos. Não conheço *ninguém* que se tenha dedicado de corpo e alma a uma causa sem ter enfrentado situações de vida ou morte que enfraquecem os joelhos até das pessoas mais fortes.

Algumas semanas antes do início do Leadership Summit, um colega e eu fizemos uma visita à organização de direitos civis e humanos da qual Eleanor foi co-fundadora cerca de quarenta anos atrás. Eu já tinha ouvido falar da Focus: HOPE [Foco: ESPERANÇA] e sempre me impressionei com seu método inovador e apaixonado para eliminar o racismo, a pobreza e a injustiça em Detroit e nas áreas circunvizinhas.

A sede localiza-se num terreno de cerca de 16 hectares no coração de Detroit, cidade que, conforme você deve saber, não é a mais tranqüila e pacífica dos Estados Unidos. Pessoas sem teto moram embaixo de viadutos com paredes marcadas por grafiteiros. Tráfico de drogas e crimes violentos são uma realidade. No

Como desenvolver o descontentamento santo

caminho entre a rodovia interestadual e a rua onde se localiza a organização, a vida parece *dura* demais.

No entanto, o cenário cinzento e sujo dessa parte da cidade desapareceu quando entramos nas instalações da Focus: HOPE. Se você pudesse ver o local, perderia o fôlego! O interior do prédio é impecável. A vista panorâmica é imaculada. Nas paredes não há manchas nem sujeira produzida por grafiteiros. Em todas as direções notamos apenas a comprovação do compromisso dos funcionários da organização de manter o local com excelência e eficiência. Há outro fato notável: Eleanor vive, respira, come e luta o tempo todo em prol da causa da Focus: HOPE.

Da mesma forma que a maioria das pessoas que encontro, Eleanor se lembra exatamente de onde estava e do que fazia quando seu momento Popeye ocorreu. Ela era uma dona de casa de classe média de Detroit, casada, mãe de cinco filhos e com uma vida previsível. Numa noite do verão de 1963, sentada no sofá e com a TV ligada, Eleanor assistiu a um programa especial sobre os julgamentos históricos em Nuremberg após a Segunda Guerra Mundial.

— Senti uma grande revolta ao ver pessoas sendo tratadas como animais ou morrendo em câmaras de gás — Eleanor contou-nos naquele dia. Disse que, enquanto assistia àqueles relatos horripilantes, ela se perguntou o que teria feito se tivesse vivido na Alemanha nazista daquela época. Como teria reagido se tivesse presenciado tamanha violência?

Naquela mesma noite, a transmissão do programa foi interrompida por uma notícia de última hora. Eleanor ouviu atentamente o relato dos repórteres descrevendo a cena infernal em Birmingham,

Alabama, onde a marcha pelos direitos civis se tornara violenta demais.

Horrorizada, Eleanor viu policiais aplicando choques elétricos com instrumentos pontiagudos nos manifestantes. Jatos de água das mangueiras de incêndio eram atirados contra pessoas inocentes.

— Chorei sem parar — disse Eleanor — e pensava o tempo todo: *Como isto pode estar acontecendo nos Estados Unidos?!*.

Naquela noite, um ataque de frustração gigantesco tomou conta de Eleanor. Ela sabia que explodiria se não tomasse uma atitude.

— Aquilo me mudou para sempre. Naquele instante passei a ser uma defensora ferrenha do dr. [Martin Luther] King e decidi que me dedicaria à mesma causa pela qual ele lutava incansavelmente: a reconciliação racial.

Enquanto estávamos sentados de frente um para o outro naquela modesta sala de diretoria da Focus: HOPE, Eleanor contou o que ocorreu dali em diante. Eu podia perceber um turbilhão de idéias passando pela cabeça dela, esperando o momento de se manifestar. A paixão radical que aquela mulher sentira quase meio século antes continuava viva e saudável. Que emoção de causar arrepios as pessoas sentem quando descobrem e alimentam seu descontentamento santo!

De repente, ela puxou os cabelos para trás, levantou-se e murmurou algumas palavras. Entendi que Eleanor queria mostrar-me exatamente o que provocou seu momento Popeye, mas não consegui ouvir porque ela já havia saído da sala. Voltou vinte segundos depois com um livro de capa dura na mão, intitulado *The Civil Rights Movement: A Photographic History* [O movimento pelos direitos civis: uma história fotográfica].[1] Quando ela o colocou aberto diante de mim, em cima da mesa, as páginas viraram sozinhas até parar numa que, certamente, ela havia lido muitas e muitas vezes.

— Aqui está o que vi naquele dia na TV — Eleanor disse.

— Veja isto! É uma atrocidade!

Ela apontou para a fotografia de um manifestante negro sendo atacado por cães da polícia. Outra mostrava duas dúzias de negros sentados no meio-fio, com as mãos atrás da cabeça, enquanto os bombeiros atiravam jatos de água com mangueiras de incêndio nas costas deles.

— Eu queria saber o que teria feito se morasse na *Alemanha* naquela época — ela prosseguiu. — Mas naquela noite, diante da TV, a pergunta passou a ser: "O que estou fazendo em *meu próprio país?*". No mesmo instante, decidi que algumas coisas teriam de mudar, em mim e em minha família. E a mudança seria drástica!

Em 1968, depois que os tumultos em Detroit destruíram parte da cidade, Eleanor e o marido encaixotaram seus pertences, saíram da casa confortável e foram morar no centro de Detroit, arriscando tudo para alimentar seu descontentamento santo: bens materiais, solidariedade da família, segurança pessoal, estabilidade futura, reputação. De acordo com Eleanor, a decisão foi perfeitamente lógica.

— Seu objetivo na vida precisa ser maior que você, Bill. Até aquele dia, o meu não era maior que eu.

Vinte e quatro horas após o término dos distúrbios em Detroit, Eleanor e um amigo da família, o falecido padre William Cunningham, percorreram as ruas da cidade e ficaram atônitos

---

[1] Steven KASHER. *The Civil Rights Movement: A Photographic History, 1954-68.* New York: Abbeville Press, 1996.

ao ver a Guarda Nacional dentro de tanques de guerra na grande avenida arborizada.

— Fizemos a mesma pergunta um ao outro várias vezes — ela contou. — O que poderíamos fazer para reconciliar aquelas comunidades?

Logo a seguir, os dois amigos instalaram um escritório no porão da igreja do padre Cunningham, a um quarteirão da propriedade atual da Focus: HOPE, conseguiram arrebanhar alguns voluntários e começaram a reunir-se periodicamente com a finalidade de descobrir uma estratégia apropriada para pôr fim à tensão racial em Detroit. Enquanto ruminavam o assunto, constataram que, antes de apresentar ao povo os seus planos para a reconciliação racial, eles precisavam eliminar um ruído muito mais forte que chamava a atenção de todos: o ruído de estômagos roncando de fome.

Havia um problema insidioso de fome em Detroit que precisava ser atacado em primeiro lugar. Eleanor e o padre Cunningham dedicaram toda a energia naquela direção.

A Focus: HOPE foi criada por duas pessoas que se recusaram a ficar paradas vendo de longe a segregação racial e a fome tomando conta de sua cidade. Hoje, o programa de combate à fome desenvolvido por eles é conhecido no mundo inteiro. É também o maior do gênero no país e proporciona alimentos para mais de mil mulheres, crianças e idosos todos os dias. A emoção apoderou-se de mim enquanto eu percorria o centro principal de distribuição, localizado no centro da propriedade. Ali, as famílias carentes são acolhidas por voluntários, recebem um carrinho e uma lista de compras e passam pela fila do "caixa". Os voluntários têm todo esse trabalho para que o recebimento de mercadorias na Focus: HOPE seja o mais digno possível, para que as crianças acompanhem os pais como se estivessem fazendo compras num supermercado. Essa experiência tem o objetivo de ensinar as crianças a ser auto-suficientes. Elas aprendem a lidar com o dinheiro em vez de viver de esmolas pelo resto da vida.

Acima de tudo, para reforçar esse objetivo, a Focus: HOPE oferece treinamentos modernos e instrução escolar para que homens e mulheres possam desvincular-se do programa de alimentação e começar a trabalhar nas indústrias locais. Até hoje, a Focus: HOPE já diplomou mais de 8 mil pessoas, capacitando-as a conseguir empregos com ganho duas vezes maior que o salário mínimo.

É impossível ver o progresso da Focus: HOPE sem apreciar o discernimento e a perspicácia de quem a idealizou. Muitas pessoas têm grandes sonhos e visões, mas nunca pensam nos mecanismos, na execução, isto é, como transformar o projeto em realidade. Além de creches para filhos de pais e mães que trabalham fora ou estão recebendo instrução escolar, a Focus: HOPE faz parcerias com fabricantes de automóveis para dar cursos de treinamento a futuros operários e operárias. Ela tem uma organização aprimorada em todos os níveis... e um objetivo que realmente ajuda as pessoas a criar um novo tipo de vida para elas.

Durante uma entrevista recente, uma repórter de uma agência noticiosa da cidade fez Eleanor lembrar-se da importância do trabalho abrangente da Focus: HOPE.

— A repórter era jovem — Eleanor contou — e, além de ser uma jornalista bem-sucedida, era uma pessoa extraordinária. No final da entrevista, ela juntou seus papéis e levantou-se para ir embora. Antes de chegar à porta, virou-se para mim e disse: "Talvez a senhora não saiba, dona Eleanor, mas cresci recebendo comida de seu programa de alimentação. Eu não poderia sair daqui sem lhe agradecer. Essa organização salvou a vida de minha família".

— Ouço isso o tempo todo — disse Eleanor com um largo sorriso —, nos lugares mais estranhos possíveis.

Faça diferença

Todas as terças-feiras de manhã, Eleanor orienta pessoalmente os funcionários novos (chamados "colegas") a respeito da política da Focus: HOPE. Conta a história da organização, mostrando-lhes a mesma pasta enorme de arquivo que me exibiu durante nossa reunião. A pasta contém fotografias de casas desapropriadas que a Focus: HOPE reformou e alugou para famílias carentes. Recortes de jornais contando em detalhes a cerimônia de inauguração da escola de treinamento para mecânicos da Focus: HOPE. O obituário do padre Cunningham. Cartas de pessoas da comunidade que foram grandemente inspiradas pelo trabalho da Focus: HOPE. Cópias de cheques que ex-alunos da Focus: HOPE estavam recebendo de seus empregadores. Fotografias de membros da Focus: HOPE que deixaram a organização e, lamentavelmente, perderam a batalha para as drogas ou a violência.

— Essas pessoas não precisavam ter morrido — ela disse. — Um pouco de assistência, um pouco de treinamento, uma boa oportunidade de ter sucesso neste mundo... elas não precisavam ter morrido.

Eleanor diz que deseja ter novos colegas — em especial jovens que nem sequer haviam nascido em 1967 — que entendam as raízes da organização e conheçam os riscos de fazer parte da equipe. Ela pergunta aos novos colegas: "Qual foi a última vez que você olhou para o mundo a seu redor e disse: '*Isto* é inaceitável'? Qual foi a última vez que você criou coragem para escrever ao político que recebeu seu voto descrevendo uma situação que você não agüenta mais?". (Acredite em mim, se Eleanor Josaitis lhe fizesse essas perguntas pessoalmente, você deveria estar preparado para responder. Ela fica eufórica com a chegada de novos colegas.) "Qual foi a última vez que você teve o cuidado de ir à casa de um vizinho, de alguém da família, de um amigo, para saber se tinham o que comer? Olhe ao redor! Há alguém precisando de ajuda, mas é orgulhoso demais para pedi-la? É *aí* que você poderá brilhar!"

A equipe de Eleanor não é composta apenas de pessoal *pago* para trabalhar. A organização conta com a ajuda de mais de 50 mil voluntários, muitos dos quais são pessoas influentes na comunidade e líderes industriais. Eu poderia apostar que, em muitos casos, eles estão coçando as mãos para ajudar.

Quando Eleanor e eu chegamos à sala de reuniões naquela manhã, vi sem querer uma placa indicativa sobre uma mesa, com este nome: "Lloyd Reuss".

— Este *Lloyd Reuss...* é o ex-presidente da General Motors?

— É, sim! — Eleanor respondeu. — Ele era da GM, agora é nosso. Trabalha aqui... sem receber nada.

— Que voluntário bem qualificado! — mencionei enquanto continuávamos a caminhar.

Eleanor não é uma pessoa intimidadora nem tem ar de poderosa. Tem 1,5 metro de altura, já passou dos 70 anos e seu charme é suficiente apenas para desarmar uma vovó, jamais um guerrilheiro. Mas, entre as pessoas que conheço, é uma das mais desejosas de assumir riscos. Em razão disso, pessoas como Lloyd Reuss e outros líderes de alta capacidade se apresentam, prontos para fazer o que for necessário para entrar na batalha com ela.

Mais tarde, naquele mesmo dia, Eleanor saiu da sala de reuniões para buscar uma xícara de café. Em sua ausência, folheei o livro sobre direitos civis que ela havia trazido. As fotografias eram todas em preto-e-branco, todas terrivelmente perturbadoras. Páginas e mais páginas de multidões enfurecidas espancando homens e mulheres com tacos de golfe. Malcolm X em frente à sua casa no Queens, destruída por uma bomba. Os filhos e a filha do dr. Martin Luther King olhando para o corpo sem vida do pai no caixão aberto.

A injustiça, a destruição, as vidas perdidas... tudo isso é indescritível, pensei. As imagens das atrocidades que ocorreram ali mesmo em Detroit — também em Chicago, Los Angeles e em dezenas de outras cidades no sul do país — voltaram-me à mente enquanto eu sentia uma profunda tristeza dentro do peito.

No entanto, não havia apenas tristeza ali. Também senti uma *enorme* sensação de enxergar um futuro melhor, graças a pessoas como Eleanor. Ali estava uma mulher que vendeu sua casa, levou a família para morar na parte feia da cidade, quase perdeu o direito de criar os filhos, foi deserdada pelo sogro que não entendeu sua paixão por aquela causa, perdeu amigos, perdeu familiares e perdeu o respeito de muita gente que a considerava completamente leviana (recebeu muitas cartas para comprovar isso)... tudo em prol de uma luta digna de ser enfrentada.

Depois de correr tantos riscos, ela voou mais de 32 vezes para Washington D.C. a fim de pedir auxílio à Casa Branca e ao Senado para as pessoas que estava tentando ajudar em Detroit.

Ela continua a lutar por esses dólares até hoje.

○

Posso dar um palpite? Não tenho bola de cristal. Não tenho uma linha direta com Deus para saber o que ele vai fazer nos próximos dias. Não sei até que ponto a situação piorará antes de começarmos a agir. Mas de uma coisa eu sei: o mundo fica muito mais bonito quando existem pessoas corajosas, destemidas e prontas para assumir riscos, como Eleanor Josaitis, que encontrou seu descontentamento santo e o alimentou, que se debruça sobre ele, mesmo quando a situação está difícil, e que trabalha incansavelmente para que o amanhã seja melhor que hoje.

Paz, amor e manteiga de amendoim

Minutos depois de ter saído da sala de reuniões, Eleanor retornou com uma xícara de café na mão e disse repentinamente:

— Quarenta anos atrás, as únicas opções de trabalho para as mulheres eram magistério e enfermagem. Eu queria ser enfermeira, mas todos diziam que minha personalidade não se encaixava nessa profissão. Fiquei desolada... muito, muito *desolada*.

Evidentemente, foi necessário um bom tempo para Eleanor superar aquela mágoa, mas talvez isso tenha contribuído para conduzi-la a organizar a Focus: HOPE.

— Hoje, quando faço uma retrospectiva, entendo que o *sucesso* nunca foi meu objetivo — ela prosseguiu. — Não queria exercer a profissão de enfermeira para ser "bem-sucedida". Queria ser enfermeira porque era a melhor maneira que eu conhecia de obter resultados e mudar vidas!

Eu diria que ela conseguiu fazer as duas coisas.

○

A Focus: HOPE costuma acolher em sua unidade central alunos da terceira série dos bairros pobres juntamente com os alunos dos bairros mais abastados da cidade. Eleanor e sua equipe colocam dezenas de crianças na mesma sala para que possam ficar lado a lado, trocar experiências e enxergar o outro lado da vida.

Pouco antes de meu colega e eu sairmos para pegar o avião de volta para Chicago, Eleanor folheou uma pasta recheada de papéis e pegou uma fotografia no fundo da pasta. A fotografia havia sido tirada alguns meses antes e mostrava crianças brancas e negras, todas ao redor dela, exibindo um largo sorriso e com colheres de prata na mão. O rosto de Eleanor irradiava felicidade enquanto ela explicava o significado da fotografia.

— Na última vez que as crianças estiveram aqui, ouvi de longe um menino branco, de família rica, conversando com um menino negro, de família pobre. O menino rico disse, com todo aquele entusiasmo de uma criança de 8 anos: "*Você* gosta de manteiga de amendoim?! *Eu* também gosto! Nós dois somos iguais!".

— Parei ao lado daqueles dois garotos tão queridos, sentados no chão com as pernas cruzadas — Eleanor prosseguiu — e pensei: *Talvez não seja tão difícil assim.*

Amigo, somente alguém como Popeye é capaz de aceitar o risco que Eleanor aceitou e acreditar que a tarefa não é grande demais para ser levada adiante, que a estrada não é longa demais para ser percorrida e que os obstáculos não são altos demais para ser superados. Conforme eu já disse, qualquer coisa pela qual valha a pena lutar exige *grandes* riscos.

E eu pergunto: você está-se arriscando o suficiente em favor de *seu* descontentamento santo?

6

Aonde quer que ele o leve e todas as vezes que o levar

Você está pronto para saber qual é a terceira consideração sobre como administrar seu descontentamento santo? Conforme já dissemos, assim que o encontrar, o melhor que você tem a fazer é *alimentá-lo*. A seguir, quando a situação tornar-se arriscada — e os riscos surgirão com certeza —, você precisará trabalhar firme e reunir as armas necessárias para *lutar*. Há, porém, outro fator igualmente importante: se, no meio do caminho, seu descontentamento santo adquirir outra forma, eu o aconselho a *ir atrás* dele.

Um dos melhores exemplos desse conceito encontra-se na vida de um homem do Antigo Testamento chamado Neemias. Sua história começa quando ele tinha uma vida de luxo dentro de um majestoso palácio persa. Neemias ocupava o cargo bem remunerado de copeiro, a pessoa responsável por provar o vinho do rei para assegurar que ninguém havia perdido o juízo a ponto de envená-lo. Aposto que você diria que a morte rondava a vida dos copeiros todos os dias, mas, por certo, havia funções mais arriscadas.

Um dia, Neemias recebeu uma notícia inesperada e desagradável procedente de Jerusalém, cidade de seus antepassados.

Depois de retornarem de uma visita a Jerusalém, seu irmão e alguns companheiros lhe deram notícias devastadoras. Disseram que as condições eram *terríveis*: " 'O muro de Jerusalém foi derrubado, e suas portas foram destruídas pelo fogo'."[1] Neemias ficou sabendo que seus companheiros judeus — os que sobreviveram ao cativeiro — estavam passando por grande sofrimento e humilhação.[2] Os muros de proteção da cidade haviam sido derrubados e eles estavam desprotegidos de ataques dos invasores. E mais, as nações vizinhas ridicularizavam o Deus que não era capaz sequer de proteger seu povo... ou assim lhes parecia.

Eles mal sabiam que aquele Deus "sem nenhum poder" tinha um plano maravilhoso em mente.

No entender de Neemias, a destruição dos muros não era tão importante quanto a zombaria dos países vizinhos a respeito do Deus "sem nenhum poder" dos israelitas. Ele também sabia que, se os muros da cidade não fossem reconstruídos — e rápido —, seu povo seria incorporado a outras culturas e perderia sua identidade e religião. Neemias não agüentava mais! E, então, o que ele fez? Bem, como qualquer líder que se preze, Neemias, o Grande, sentou-se e chorou.

É verdade. A situação era tão desesperadora que ele começou a chorar como um bebê. Neemias estava diante de seu momento Popeye... já agüentara o quanto podia, não agüentava mais! Na verdade, penso que essa reação se originou de um descontentamento santo incipiente que veio à tona enquanto Neemias soluçava, prostrado no chão. No entanto, por ser um homem de tomar

---

[1] Neemias 1.3.
[2] Idem.

atitudes, Neemias não conseguiu ficar prostrado por muito tempo. Seu lamento, oração e jejum[3] entraram imediatamente em ação. Ele levantou-se, pediu demissão do cargo de copeiro e preparou-se para resolver o problema. Arriscando a vida — e também sua reputação —, Neemias pediu a um rei de outra nação que lhe desse salvo-conduto e provisões para assumir a tarefa que era de sua responsabilidade. Se a reconstrução do muro fizesse cessar a zombaria contra seu Deus, então ele reconstruiria o muro!

Assim como Neemias, às vezes, ao longo do caminho da vida, acreditamos que nosso propósito, identidade e missão estão todos amarrados num só pacote, mas, de repente, nos damos conta de que aquele "pacote" mudou de forma. Não se esqueça, Neemias teve de transpor um imenso obstáculo antes de começar a reconstruir o muro. Neemias, o copeiro, o mais influente, mais ilustre e prestigiado servo do rei... era assim que *todos* o conheciam. Será que ele atiraria tudo para o ar só por causa de alguns tijolos quebrados e algumas portas destruídas?

Deus estava chamando Neemias para participar de uma "coisa nova". Curiosamente, essa coisa nova exigia um líder perspicaz, com excelente capacidade de comunicação e grande tenacidade... e Neemias havia aprimorado todas essas habilidades enquanto trabalhou no palácio.

Ele decidiu entrar no jogo em razão de um incidente isolado que não foi capaz de *agüentar*. Mas outro fator motivou Neemias a trabalhar firme durante 52 dias, sem esmorecer diante das críticas recebidas, enquanto ele e os companheiros realizavam a boa obra de reconstruir o grande muro de Jerusalém. O motivo foi um *novo*

---

[3]   Neemias 1.4.

descontentamento santo — uma fé muito grande de que o nome de Deus deveria ser honrado e que o povo de Deus deveria ser protegido. Neemias liderou um dos trabalhos mais impressionantes de reconstrução de toda a História.

A evolução do descontentamento

Amigo, a dinâmica dessa "coisa nova" não é reservada aos líderes antigos com nomes esquisitos e talento para serem empreiteiros. Assim que souber o que está procurando, encontrará exemplos atuais em todas as partes do mundo.

Cerca de vinte anos atrás houve uma mudança repentina na vida do vocalista da banda irlandesa U2. Bono e sua banda haviam tocado o dia todo no concerto *Live Aid*, com a finalidade de angariar dinheiro para as vítimas da fome na Etiópia. O evento foi realizado no estádio de Wembley, em Londres, e foi visto por mais de 1,5 bilhão de admiradores em cem países, com transmissão de TV ao vivo. Aquela foi uma experiência muito comovente para *todos* os envolvidos... principalmente para Bono.

Logo após o evento, ele e a esposa, Ali, voaram rumo ao nordeste da África para ver com os próprios olhos o tumulto que ocorria naquela região. Não falaram da viagem a ninguém. Queriam viajar sozinhos, sem alarde, para que Bono pudesse tirar da mente as imagens "daquelas pessoas famintas que ele via na televisão".[4] Bono passou boa parte daquele verão trabalhando num acampamento montado para alimentar os etíopes, e nunca mais voltou a ser a mesma pessoa.

---

[4]   Michka ASSAYAS. *Bono: In Conversation with Michka Assayas*. New York: Riverhead Books, 2005, p. 224.

Avançando no tempo, hoje Bono usa sua influência e fama sem precedentes para atrair a atenção do povo para as questões mais prementes desta geração. A pobreza extrema é uma delas, claro. Bono exerce pressão sobre os líderes mundiais, pedindo o cancelamento das dívidas que atormentam dois terços do mundo. Luta com unhas e dentes para angariar fundos e combater a pandemia da aids. Trabalha com empenho para reformar a política de comércio exterior. (Tudo isso além de cumprir uma extensa agenda como astro do rock. *Você* acha que está sobrecarregado de responsabilidades?)

Durante a turnê mais recente do U2, Bono tomou providências para que minha família e vários amigos nossos pudessem assistir a uma das apresentações da banda quando ela passou por Chicago. Perto do final do show, enquanto a multidão delirante pedia bis, ele parou tudo e gritou para a platéia:

— Vocês querem salvar o mundo?!

Todos gritaram e aplaudiram, sem ter idéia do que aconteceria a seguir.

— Peguem seus celulares — Bono gritou — e enviem uma mensagem de texto com seu nome para o número mostrado no telão... agora! — Imediatamente os vários telões exibiram o número de um telefone. — A mensagem de vocês vai para *One: The Campaign to Make Poverty History* [Um: a campanha para fazer com que a pobreza vire história]. Vocês seguirão o exemplo de mais de 1,6 milhão de americanos que decidiram envolver-se na luta para erradicar a pobreza no mundo inteiro... e isso vai acontecer em *nossa* geração, se depender de mim.[5]

No mesmo instante, a escuridão do auditório foi pontilhada por dezenas de milhares de pontos luminosos de celulares, enquanto a platéia digitava mensagens de apoio à campanha. Durante a canção

---

[5]   Disponível em: <http://www.one.org>.

seguinte, por meio de um recurso tecnológico que jamais saberei explicar, os nomes dos moradores daquela região de Chicago que aderiram à campanha apareceram no imenso telão atrás da banda. O povo foi à loucura ao ver os nomes no telão.

Logo depois daquela experiência fantástica, duas coisas causaram-me espanto. Primeira, são *completamente injustificáveis* as numerosas reclamações que tenho recebido, ao longo de décadas, de pessoas que se queixam do som muito alto das músicas de louvor na Willow. Enquanto elas não assistirem a uma apresentação do U2 e saírem de lá com os ouvidos zumbindo, não quero mais ouvir nenhuma reclamação. (Na verdade, nos três dias seguintes à apresentação, eu não teria sido capaz de ouvir nenhuma reclamação. Zunido... era só o que eu conseguia ouvir. Zunido e a cabeça latejando — a melhor dor que já senti.)

A segunda (e muito mais substancial) foi ver a dedicação de Bono a seu descontentamento santo. Se eu tivesse de classificá-la, chamaria essa causa de *desmantelando a apatia*. Ele não *agüentou* a apatia! Se você já compareceu a uma apresentação do U2, sabe exatamente do que estou falando. Bono detesta cantar sem paixão. Não tolera composições musicais mais ou menos sinceras. Apresentações sem vida deixam-no maluco! Devemos admitir, então, que ele declara guerra contra a apatia em qualquer linha de frente. Seu grito de guerra na luta contra as injustiças que atormentam nosso mundo é clara: "Você pensa que, por ser rico, pode desprezar os pobres? Pensa que, por ter saúde, pode deixar um doente morrer à míngua? Não, se eu estiver por perto!".

Todas as vezes que tomo conhecimento dos recentes trabalhos de Bono, lembro a mim mesmo que esse homem tem dinheiro para gastar como quiser e toda a fama que uma pessoa possa desejar ou necessitar durante uma vida inteira... e muito mais. Esse é o mesmo Bono que vendeu mais de 130 milhões de álbuns, o mesmo Bono que tocou em dezenas de turnês pelo mundo, com ingressos esgotados, e o mesmo Bono cuja imagem espalhafatosa transformou-o num dos ícones mais reconhecidos da era moderna. Ele é sempre o mesmo. No entanto, é completamente *diferente*. Por quê? Porque seu descontentamento santo mudou de rumo, e ele o seguiu. A emoção depois de ajudar os pobres da Etiópia foi tão grande que ele disse: "Decidi dedicar-me a algo mais importante que gravar discos". Algumas semanas após a apresentação em Chicago, Bono falou no Desjejum Nacional de Oração aqui nos Estados Unidos. Levantou-se diante de chefes de estado e autoridades estrangeiras e pediu-lhes que fizessem mais do que estavam fazendo, porque, de acordo com Bono, "quando os livros de História forem escritos, nossa geração será lembrada por três coisas: guerra contra o terrorismo, revolução digital e o que fizemos — ou não fizemos — para extinguir o incêndio na África".[6]

A meu ver, Bono *transpira* sua causa por todos os poros em qualquer lugar que esteja. Lembro-me de quando me dei conta disso pela primeira vez. Eu viajara a Dublin para treinar pastores. Bono soube que eu estava na cidade e convidou-me para assistir à gravação da banda para o próximo CD. Passei várias horas no estúdio naquela noite, vendo os rapazes gravando uma música atrás da outra e conversando com Bono.

Começamos a falar do perdão da dívida para determinados países, e Bono ficou todo entusiasmado. Passamos para o tema da fé pessoal, e ele ficou mais entusiasmado ainda. Abordamos o assunto da aids, e ele ficou desolado. Entre uma conversa e outra, Bono pegava o violão e começava a tocar uma nova canção relacionada ao assunto em pauta. Foi a mais poderosa

---

[6] Disponível em: <http://www.data.org/archives/000774.php>.

fusão que já vi nesta vida: descontentamento santo misturado com fina arte.

Não se pode passar algum tempo ao lado de Bono sem notar sua energia *incrível* pela vida — uma vitalidade interior semelhante a uma lâmpada de intenso brilho. Na maioria das casas há lâmpadas de 25, 75 ou 100 watts, mas estou certo de que Bono está sempre trabalhando com cerca de mil watts.

Sinceramente, sempre saio de meus encontros com ele meneando a cabeça, sem acreditar. Desde a infância, Bono sempre quis ser astro do rock. Hoje, é um dos líderes que lutam pela erradicação da pobreza extrema no mundo. E podemos traçar o caminho de volta até o surgimento de seu descontentamento santo, que o forçou a fitar os olhos das crianças famintas em Adis Abeba, na Etiópia, crianças que não tinham força sequer para levantar-se e cumprimentá-lo. A resposta simples de Bono a essa experiência reacendeu a chama do turbilhão dentro de sua alma: "Eu *não* poderei viver num mundo onde [esta realidade] continuar a existir".[7]

Talvez Deus o esteja convidando, amigo, para a dinâmica de uma "coisa nova" neste instante. Seja ela qual for, você a atacará sem pestanejar, com toda a intensidade de seus *mil watts*? Se, a esta altura do jogo, for chamado para ser líder, seja um líder de mil watts! Se for chamado para ser cantor, seja um cantor de mil watts! Preencha o formulário e comece a trabalhar na tarefa que lhe foi destinada — piloto, executivo, mãe, pai, guerreiro de oração. Eu o *desafio* a aproximar-se de seu descontentamento santo com o compromisso de trabalhar com a potência de "mil watts", seja qual for a sua tarefa.

---

[7] Michka Assayas. *Bono: In Conversation with Michka Assayas*. New York: Riverhead Books, 2005, p. 215.

A próxima evolução para mim

Acredite ou não, Bono e eu temos uma coisa em comum. Sei que você se surpreenderá ao descobrir que não é talento para cantar. Nem uma coleção de óculos de sol. É algo que passei a considerar a *próxima evolução* do descontentamento santo que Deus começou a desenvolver em mim quando eu era criança, conforme mencionei no capítulo 3.

Apesar de sempre ter sido apaixonado por ajudar as igrejas e seus líderes a se tornar vencedores, eu sentia, cada vez mais, o chamado de Deus para concentrar a atenção nas pessoas menos favorecidas deste mundo. Senti seu chamado para aplicar as coisas que aprendi em meu ministério de mais de 30 anos às necessidades de uma comunidade muito mais ampla que a igreja.

Cerca de sete anos atrás, um membro da Willow Creek Association convidou-me para atravessar o oceano com ele e trabalhar num país abarrotado de problemas aparentemente insolúveis. A viagem mostrou-me caminhos que mudariam radicalmente o rumo de minha vida daquele ponto em diante. Eu ainda não estava acostumado com a idéia do "encontre e alimente", mas, intuitivamente, foi o que fiz nos meses e anos seguintes. Espremi minha agenda abarrotada para expor-me a outras realidades de âmbito internacional. Candidatei-me para fazer palestras em algumas partes mais difíceis do mundo, sem necessidade disso... só para saber o que Deus estava planejando para minha vida. Li tudo o que me caiu nas mãos sobre os problemas dos habitantes de países como África do Sul, Zâmbia, Namíbia, Brasil, Equador, Rússia e Ucrânia.

Todas as vezes que entrava no avião de volta para casa, percebia que meu coração estava um pouco mais abatido pelo que vira naquela viagem... no bom sentido, é claro. Em minhas conversas a sós com Deus, eu me sentia cada vez mais atraído pelos menos favorecidos. Passagens bíblicas como aquela em Tiago na qual ele diz: "A religião que Deus, o nosso Pai, aceita [...] é esta: cuidar dos órfãos e das viúvas em suas dificuldades"[8] atingiam-me cada vez mais fundo. Eu perguntava: "Estou realmente fazendo tudo o que posso nesta área, determinado a seguir a plataforma com a qual Deus me abençoou?".

No íntimo, eu sabia que a resposta era "não".

Pela primeira vez em muito tempo, fui forçado a parar tudo o que estava fazendo em prol do Reino e olhar para dentro de mim. Esta era a pergunta para a qual eu procurava — e ainda procuro — a resposta: "O que a questão da pobreza, a questão da aids, a questão da justiça em nosso mundo pedem de alguém como eu, com a influência com que Deus me agraciou?".

Trata-se de uma pergunta importante a ser respondida porque, como pastor, creio que minha função principal seja ensinar o que a Bíblia diz a respeito das grandes questões da atualidade. Não de *algumas* questões, mas de *todas*. O número de vezes que a Bíblia menciona a grande preocupação de Deus pelos pobres e oprimidos, pelos órfãos, pelas viúvas, pelos encarcerados e por quem não tem a quem recorrer é impressionante!

Estou percebendo cada vez mais que *essas* são as "injustiças" de que a Bíblia fala com tanto poder e freqüência, e são as mesmas questões com as quais eu luto. Será que eu estou fazendo... *nós* estamos fazendo... um bom trabalho coletivo como crentes para conscientizar o povo de nossa comunidade acerca das questões de injustiça na Bíblia que Deus passou *tanto tempo* enfatizando? Como reagir com o amor, a graça e o conhecimento recebidos daquele cujo nome proclamamos... sem desistir das lutas que enfrentaremos? E, acima de tudo, o que devemos fazer? Marchar?

---

[8] Tiago 1.27.

Escrever cartas? Candidatar-nos a cargos políticos? Como derrubar os sistemas opressivos que a Bíblia tanto condena?

Evidentemente, o primeiro passo para responder a algumas dessas perguntas é aprofundar-nos um pouco mais em cada questão. Tomemos a discriminação racial como exemplo: 2006 foi o segundo ano consecutivo em que os líderes da Batista Salém, em Chicago, e da Willow Creek realizaram a Justice Journey [Jornada da Justiça]. Trata-se de uma excursão de ônibus durante um fim de semana inteiro aos locais mais importantes do movimento pelos direitos civis, tais como Birmingham, Selma e Memphis.

O grupo é um microcosmo da reconciliação que pretendem prenunciar: os cerca de 50 integrantes pertencem a mundos diferentes, isto é, dividem-se em duas congregações, uma composta de negros e outra composta na maioria de brancos, mas todos unidos em torno do desejo de compreender o racismo e seu impacto em nossa sociedade.

Uma das pessoas da Willow que colabora na equipe de fotografia é uma mulher chamada Kathy. Conversamos recentemente sobre os motivos que a levaram a permanecer firme nos trabalhos da Jornada da Justiça, uma vez que ela tem uma vida muito agitada. Ela é consultora e dedica muito tempo a essa função. Tem obrigações familiares. Trabalha como voluntária para ajudar a Willow a organizar programas de treinamento, e assim por diante. Por que acrescentar outras bolas a esse malabarismo — principalmente quando se trata de lidar com algo tão intimidador como a batalha pela reconciliação social?

— É verdade — ela disse. — Essa questão em particular é cansativa demais porque estamos tentando contra-atacar os efeitos de quatrocentos anos de História. E, quando a analisamos por esse ângulo, a tarefa torna-se tremendamente desanimadora! A meu ver, a melhor resposta ao desafio é perguntar: *O que podemos fazer neste momento para mudar a situação?*.

— É fácil entrar nessa luta com ceticismo — Kathy prosseguiu —, mas, assim que nossa mente se abre, o coração se transforma, os paradigmas mudam e vemos um entendimento mútuo desenrolar-se diante de nós, recebemos uma força renovada para continuar na luta. Quando todos têm um desejo tão ardente quanto eu de ver a situação mudar, não há como desistir. Nossa alma não permite tal coisa! E, acima de tudo, não temos idéia de qual será o resultado de nosso esforço; só sabemos que é muito importante engajar-se nesse trabalho. Todas as vezes que compareço a uma Jornada da Justiça, sei que, no mínimo, minha presença fará diferença para as outras 50 pessoas sentadas no ônibus, da mesma forma que a presença delas também faz diferença para mim. Além do mais, só Deus sabe até onde tudo isso levará.

Durante a Jornada da Justiça do ano passado, o pastor sênior da Salém e eu tivemos a oportunidade de nos encontrar com a equipe, quando o pessoal se preparava para atravessar a Ponte Edmund Pettus, no Alabama, um local de péssimas lembranças, onde ocorreu o conflito chamado "domingo sangrento". Naquele dia, os integrantes da manifestação pacífica em prol dos direitos civis foram atacados por policiais armados e impedidos de atravessar a ponte. Oramos com o grupo e atravessamos a ponte em silêncio.

Enquanto eu me lembrava da experiência daquela noite, pensei: *A caminhada de vinte minutos não mudou o mundo. Não apagou a História nem alterou o paradigma mais abrangente do público a respeito dos relacionamentos raciais. Recebeu pouca atenção da imprensa. Não houve nenhum projeto de lei nem outras normas acerca da necessidade de tratar as pessoas — seja qual for a cor da pele — de maneira igual.*

A experiência mostrou, porém, que *houve mudança* em cada participante da caminhada. Para mim, foi a constatação de que *qualquer* passo tomado para fazer as "coisas novas" que Deus nos ordenou — seja expandir o conhecimento, aumentar o entendimento ou questionar idéias — é um passo muito significativo e crucial.

Agarre essa "coisa nova"

As perguntas em torno desse novo rumo de meu descontentamento santo extrapolam as respostas, mas existe algo muito cristalino: fiz uma caminhada e tanto nestes meus primeiros trinta anos de ministério — enfrentei desafios incríveis, aprendi um sem-número de lições, tive o privilégio de contar com a parceria de pessoas fantásticas e recebi bênçãos inconcebíveis do mesmo Deus que pôs esse caminho em primeiro lugar diante de mim.

Não sei como serão os próximos trinta anos, mas de uma coisa eu sei: quero ser uma pessoa do tipo de Moisés, e demorar um bom tempo para notar uma sarça em chamas bem diante de meus pés. Como Madre Teresa, quero segurar meus planos com leveza, para não perder de vista as mudanças de marcha e de direção. Quero ter a suscetibilidade impressionante de Bob Pierce, de modo que, quando Deus der o sinal, eu esteja pronto para reunir meus equipamentos em prol da causa. Como dezenas de homens e mulheres corajosos da Willow e da Batista Salém, quero expor-me cada vez mais e confiar a Deus os resultados do que eu encontrar. Quero ser o tipo de pessoa capaz de causar um ótimo impacto durante a última terça parte da vida e de estar disposto a ir atrás do descontentamento santo com determinação, mesmo quando deparar com algum problema novo e inesperado.

E, como Bono, quero ser um homem de mil watts, no qual a vitalidade interior, o chamado fundamental e as áreas do descontentamento santo se fundem para ajudar a mudar o mundo.

Espero que você faça as perguntas difíceis para encontrar sua verdadeira paixão. Espero que Deus aumente e estenda suas possibilidades para que você possa participar da "coisa nova", seja ela qual for, que ele deseja fazer por seu intermédio. Espero que vá atrás de seu descontentamento santo aonde quer que ele o leve e todas as vezes que o levar para que nosso mundo — e, mais especificamente, nossas igrejas — possa colher frutos de sua voltagem nesta geração.

Parte III

Atiçando o fogo

O segredo para manter vivo o descontentamento santo

7

Modo de vida magnético

Na época em que eu estava organizando os pensamentos acerca do conceito do *descontentamento santo*, encontrei, por acaso, um livro escrito por Robert Quinn, professor titular da Escola de Administração de Empresas da Universidade de Michigan. O livro trata de uma teoria que mexeu comigo — algo que ele chamava de "estado fundamental". Na essência, o autor diz que, quando uma pessoa é tomada por uma paixão poderosa (ou movida por um descontentamento santo, por assim dizer), ela entra num *estado de consciência completamente diferente*; na verdade, os mecanismos mentais mudam, e ela começa a agir de maneira totalmente nova.

De acordo com Quinn, é possível migrar *espontaneamente* do "estado normal", como eu costumo dizer, para um lugar conhecido como "estado fundamental". É importante saber disso, porque podemos estar estagnados no "estado normal" sem saber. Veja como ocorre: no estado normal, estamos quase inteiramente absorvidos em nós mesmos. Temos o instinto natural de querer viver. E tentamos manter o *status quo*, por mais insustentável que seja. O professor Quinn apresenta esta explicação em seu livro *Building the Bridge as You Walk on It* [Construindo a ponte enquanto você a atravessa]: "Quando aceitamos o mundo como ele é [vivendo no estado normal], negamos nossa capacidade de ver algo melhor e, como conseqüência, nossa capacidade de *ser* algo melhor. Somos o que vemos".[1]

> *Aceitar o mundo como ele é.*
> *Negar nossa capacidade de ver algo melhor.*
> *Negar nossa capacidade de ser algo melhor.*
>
> *A vida é assim no estado normal.*
> *O que não é normal, diz o professor Quinn, é admitir a existência de outro estado.*

"Permanecer no estado normal é, em última análise, optar pela morte lenta",[2] afirma Quinn. O estado normal é tão introspectivo que a pessoa gira em torno de si a vida inteira, sem nunca causar impacto no mundo ao redor. No estado *fundamental*, contudo, ela se preocupa muito em obter resultados e começa a movimentar-se e a respirar num circuito totalmente diferente. Age intencionalmente. Atua com *grandes* doses de entusiasmo e persistência. Deixa o egoísmo de lado porque a causa que defende não tolera orgulho. Aceita novas idéias e opiniões — independentemente de onde essas sugestões partiram.

Quem atua no estado "fundamental" de consciência se concentra em níveis mais elevados e com mais intensidade porque seu objetivo *exige* isso. Aceita correr riscos que normalmente não

---

[1]   Robert E. Quinn. *Building the Bridge as You Walk on It*. San Francisco: Jossey-Bass, 2004, p. 36.

[2]   Idem, ibidem, p. 21.

aceitaria... porque sente que deve — há muitas coisas em jogo! A criatividade melhora sensivelmente. A energia sobe às alturas. A paixão aumenta.

Mais que uma teoria

Enquanto eu juntava minhas anotações para escrever este livro, Bob Quinn aceitou encontrar-se comigo para conversarmos sobre algumas dessas idéias. No final da conversa, ele apresentou um exemplo intrigante do que parece existir nesse "estado fundamental", extraído das páginas de sua vida.

Pouco tempo antes, Bob e sua esposa haviam recebido telefonemas de vários líderes da igreja à qual pertenciam. Os líderes queriam saber se o casal estaria disposto a aceitar a idéia de mudar-se para a Austrália e orar por isso. Seria por três anos apenas, explicaram... tempo suficiente para Bob organizar o lançamento de um novo ministério que a igreja queria instalar naquele país. Os presbíteros haviam "orado fervorosamente" sobre o assunto e tinham certeza de que Deus os conduzira na direção dos Quinn.

Posso imaginar o turbilhão de pensamentos que passou pela cabeça de Quinn nos momentos seguintes. A mudança exigiria abrir mão de uma carreira estável que incluía dar aulas numa das escolas mais prestigiadas do mundo; abrir mão da proximidade com filhos e netos; abrir mão do futuro seguro pelo qual ele tanto trabalhara; abrir mão de um enorme círculo de amigos que sempre o apoiaram; abrir mão de desafios empolgantes em seu ramo de consultoria, treinamento e redação; abrir mão de uma casa enorme na bela cidade de Ann Arbor, em Michigan... tudo enfim!

Quando perguntei como ele se sentiu ao desligar o telefone naquele dia, Bob limitou-se a dizer com um sorriso:

— Apavorado!

Talvez eu deva mencionar que Bob tem um descontentamento santo, ardente e forte que gira em torno de ajudar as pessoas a enxergar todo o seu potencial; ele não *agüenta* ver potencial desperdiçado! A aventura na Austrália lhe daria oportunidades incríveis de recrutar, montar e sustentar uma excelente equipe de funcionários e voluntários. Agora, tudo se resumia em saber se ele conseguiria viver longe daqueles "netinhos adoráveis que o convencem a fazer tudo o que querem".

Bob e a esposa conversaram sobre o assunto e oraram na semana anterior à reunião com os presbíteros. Assim que o casal entrou na sala, a sensação opressiva dos dias anteriores foi substituída por uma paz indescritível.

— Foi a confirmação de que nós dois precisávamos para entender que aquela era *exatamente* a coisa certa a fazer — ele disse.

— No momento em que aceitamos aquela missão tão arriscada e nosso coração disse "sim", ocorreu uma mudança não apenas em *nós*, mas no mundo inteiro *em torno de nós*. Não sei explicar; posso apenas dizer que algo extraordinário ocorreu naquele instante e nos preparou para o caminho adiante de nós.

Esse é um homem que não gosta de ficar parado, elaborando teorias... na verdade, ele as põe em prática. Foi por isso que, no verão de 2006, ele e a esposa partiram para a Austrália a bordo de um vôo da Qantas, com grandes esperanças de mudar muitas vidas e fazer diferença para tornar o mundo melhor. O "estado fundamental" convidou-o a assumir um risco que, de outra forma, ele não teria aceitado. E aquele forte impulso para *ver* algo melhor — e *ser* algo melhor — o levou a entrar no jogo.

Preste atenção: o descontentamento santo faz isso conosco quando vamos atrás dele. Num piscar de olhos, é bem possível que você desperte um dia e se veja num lugar que passei a chamar de "ala das minorias lunáticas", e a única coisa mais maluca do que o lugar em si será a alegria que sentirá assim que chegar lá.

Um dia melhor que o melhor de todos

A história de Bob fez-me lembrar de outra pessoa que, a meu ver, conhece bem essa ala das minorias lunáticas. Meus caminhos se cruzaram com os de Jude Goatley vários anos atrás, quando minha mulher, Lynne, e eu estávamos envolvidos num trabalho destinado a combater a pandemia da aids na África. Jude é neozelandesa, mas passa a maior parte do ano trabalhando num vilarejo distante na África, na região abaixo do Saara.

No vilarejo de Samfya, Jude atua como "cola para unir pessoas", conforme costuma dizer. Seu convívio íntimo com os habitantes do vilarejo, sua aceitação radical de pessoas de todos os tipos, sua capacidade de comunicação e estilo apaziguador são inigualáveis.

Jude não planejava ser missionária na África — a maioria dos contabilistas não tem esse plano. Na época da adolescência, durante uma viagem à América Central para visitar parentes que trabalhavam como missionários naquela região, o momento Popeye de Jude veio à tona. Naquele instante, ela sentiu a maravilhosa colisão de duas realidades: o número incalculável de crianças no mundo necessitando de amor e sua imensa capacidade de amar crianças. O impacto daquele momento foi muito importante para o futuro de Jude. Mesmo sem entender o que havia em comum entre brincar com crianças no centro da África e seu curso de contabilidade, daquele dia em diante ela se convenceu de que deveria trabalhar como missionária em países subdesenvolvidos.

O segredo para manter vivo o descontentamento santo

Os dez anos seguintes foram torturantes para Jude, porque, *em vez* de dedicar-se a missões internacionais, ela passou a trabalhar numa empresa de contabilidade. Apesar de seguir uma carreira de grande sucesso aos olhos do mundo, aquele foi o período de maior confusão e decepção em sua vida, por vários motivos. No entanto, Jude não abandonou a idéia de ser missionária (seu descontentamento santo exigia isso!) e, pouco tempo depois daquele período difícil, ela foi apresentada, por intermédio de um amigo de um amigo de outro amigo, a um americano pertencente a um grupo chamado Bright Hope International.

O ministério, com sede em Palatine, Illinois, estava realizando um projeto num vilarejo na região central de Zâmbia e precisava de um profissional em finanças no local para supervisionar o programa de alimentos e desenvolver o trabalho do povo nativo, feito em parceria com a igreja. Havia um número muito alto de pessoas morrendo de doenças que poderiam ser prevenidas ou, pelo menos, tratadas. Os índices eram alarmantes: mais de um quarto da população daquela comunidade era portador do vírus HIV. Em razão da morte de tantos adultos, havia mais de mil crianças órfãs... representando um número assustador de 10% da população total da área circunvizinha. O principal problema da Bright Hope era encontrar alguém com ótimos conhecimentos de contabilidade e com coração compassivo para amar crianças famintas.

Você já deve saber o rumo dessa história.

Não sei quanto a você, mas quanto a mim esse tipo de oportunidade é uma porta escancarada para entrarmos no "estado fundamental". Parte da definição desse estado, conforme já dissemos, é nossa tendência de aceitar novas idéias e opiniões — independentemente de onde essas sugestões partiram.

Após anos e anos de espera, Deus proporcionou um meio para alimentar o descontentamento santo de Jude. Se um dia destes você viajar para a África central, verá Jude treinando líderes com muita alegria, ensinando-lhes os mínimos detalhes das áreas de administração, finanças e contabilidade. E ao redor dela, claro, um grupo enorme de crianças — quase todas órfãs de pais aidéticos — à espera de um abraço fortuito.

Moral da história: um dia desagradável resultante da energia do descontentamento santo é *mil vezes* melhor que um dia muito agradável vivido em outras situações. Estou certo de que Jude concordaria com isso, embora a "coisa nova" tão esperada que Deus está produzindo na vida dela não seja nada fácil. No dia-a-dia, ela vê doenças rondando por toda parte. O desespero ameaça envolvê-la a cada minuto. Há escassez de recursos. As comodidades modernas são inexistentes. Diante de tantas necessidades e de problemas acumulando-se ao redor, a consciência de Jude, quando movida pela razão, implora que ela faça as malas e volte para casa.

Recentemente, ela contraiu malária pela quarta vez em três anos. As pessoas com manifestações sucessivas de malária assemelham-se a um jogador profissional de futebol que se afasta do campo por uns tempos após ter sofrido múltiplas contusões. Ele chega a vestir o uniforme e tenta participar de um jogo decisivo, mas não consegue; os danos causados ao corpo ou ao organismo foram muito graves. Certo dia, Jude percebeu isso e concordou em tirar uns dias de licença. Dirigiu-se à cidade mais próxima para receber medicação correta e ficar longe do trabalho até recuperar-se.

Depois de exercer o papel de uma boa paciente por três semanas, Jude estava ansiosa para voltar a Samfya. Uma tarde, ainda sofrendo os terríveis efeitos da malária — febre, náusea, tontura, fadiga —, ela subiu a bordo de um avião e voltou para o lugar onde se sentia em casa. Você pode imaginar a dificuldade que ela teve para subir na aeronave? *Minha família acha que estou maluca*, ela deve ter pensado. *Meus amigos acham que perdi o juízo há muito tempo. Por que me meti em tudo isto? Por que não me acomodei, não me casei, não criei filhos? Por que não tornei as coisas mais fáceis?*

Esse teria sido um plano maravilhoso, suponho, a não ser por um detalhe: dentro de Jude havia um pequeno ataque de frustração corroendo-a de tal forma que nem sequer a malária foi capaz de abafá-lo. Contrariando a opinião daqueles que se limitam a observar de longe o sofrimento dos moradores de Samfya, ela acredita verdadeiramente que aquele povo tem o direito de progredir na vida, receber treinamento e cuidados. Tem o direito de receber alimentos, roupas e instrução escolar, com possibilidades de vislumbrar um futuro melhor e cheio de esperanças. Tem o direito de ser amado e receber compaixão. Tem o direito de ser abraçado, não abandonado. E mesmo que isso lhe custe a vida, ela lutará até o fim para assegurar-se de que essas coisas se tornarão realidade.

"Erga a voz em favor dos que não podem defender-se", diz Jude, citando um texto do livro de Provérbios. "Defenda os direitos dos pobres e dos necessitados."[3] "Mantenham os direitos dos necessitados e dos oprimidos."[4] Esses versículos ajudam-na a adquirir força para mais um dia no vilarejo poeirento e desolado que, para ela, é um pedacinho do paraíso.

Atraindo outras pessoas

Amigo, assim que notar um pequeno progresso em sua área do descontentamento santo, você também seguirá feliz para sua "Samfya". Por quê? Porque esse progresso é uma espécie de vício! Quando trabalhamos até tarde da noite para promover mudanças

---

[3]   Provérbios 31.8,9.
[4]   Salmos 82.3.

e, finalmente, vemos a situação mudar um mínimo de dois graus, esse esforço quase passa a ser um vício.

Fazemos mais e mais sacrifícios, tudo em prol dessa causa.

Esprememos nossa agenda só para continuar no rumo certo.

Lutamos por tudo o que vale a pena lutar para ter a certeza de que pelo menos *uma* pessoa está prestando atenção a essa causa.

Mas isso não é tudo, porque, quando passamos a atuar no estado fundamental, além de mudar de "estado", *atraímos outras pessoas* para esse novo estado. Pense nisto por um momento: quando você passa algum tempo no estado fundamental, torna-se *cada vez mais cativante*. Afinal, quem não gosta de estar na companhia de alguém que tem paixão pela vida, que ama sem temor e que aceita mudanças de alto risco?

Quando você se der conta da tensão de *seu* descontentamento santo que se está acumulando há semanas, meses ou décadas e usa-a como alavanca para ajudar as pessoas que ama — unindo amigos, familiares e colegas num círculo maior do que eles imaginam e ajudando-os a estabelecer uma ligação entre a paixão de cada um —, sentirá uma euforia da qual não vai querer livrar-se, uma dinâmica maravilhosa à qual dou o nome de *modo de vida magnético*.

O inverso, contudo, também é verdadeiro. Se você estiver mergulhado na escuridão e no desespero, o único "modo de vida magnético" que está levando é aquele que atrai os outros para o buraco negro do desânimo. E o espírito de equipe não funciona dentro de uma sala em completa escuridão.

Tome agora a decisão de ser tão apaixonado por ver os resultados em sua área de descontentamento santo a ponto de "arremessar" outras pessoas a um novo nível de pensamento, um novo nível de aprendizado e um novo nível de vida. Em resumo, convide outras pessoas para entrar com você no estado fundamental.

Pouco tempo atrás, tive a oportunidade de dirigir uma reunião de líderes do governo, líderes de empresas, líderes de igrejas e líderes de ministérios ligados a igrejas — todos com o desejo ardente de combater a pandemia da aids na África. Fiz esta pergunta aos participantes e pedi que se concentrassem nela: *O que poderíamos realizar juntos que nenhum de nós conseguiria alcançar, se continuássemos a trabalhar isoladamente em nossas áreas de atuação?*

Aquele momento foi fascinante sob o ponto de vista de liderança, porque o descontentamento santo geral que surgiu em torno da mesa foi tão grande — todos nós estávamos ansiosos por encontrar soluções que aliviassem o sofrimento dos aidéticos — que cada um de nós começou a atrair o outro para o estado fundamental, aquele estado "alterado" de consciência explicado por Quinn. Apesar de não saber que nome dar a isso, adorei o que vi!

Naquela sala repleta de "cachorros grandes", como costumo dizer — presidentes e diretores executivos disto e daquilo —, não havia nenhuma dose de soberba nem disputa por poder. Não havia politicagem. Não havia farpas atiradas um contra o outro. Não havia discursos movidos pelo egocentrismo. Ao contrário, todos ouviam com atenção, todos pensavam com criatividade e todos estavam dispostos a assumir riscos *enormes* para alcançar o objetivo.

No decorrer da reunião, os líderes estavam menos interessados no que eles próprios *queriam* e mais concentrados *nos resultados que queriam criar*. Permita-me repetir: parte do significado de agir no estado fundamental diz que nós nos preocupamos mais com os resultados que queremos criar do que com o fato de conseguir o que queremos. Esse é um ponto crítico para entender o que leva uma pessoa no estado fundamental a comportar-se da maneira como se comporta. O que mais me entusiasmou naquela reunião foi ter visto algo que não tenho oportunidade de ver com muita freqüência: eu estava presenciando pela primeira vez um grupo de líderes autênticos e poderosos atuar *no nível mais alto possível*. Que sensação fantástica!

No fundo, penso que essa idéia de estado fundamental quer dizer que, quando misturamos a paixão que agita a alma com uma sensação verdadeira de premência, damos *mais valor* à nossa capacidade pessoal de liderança. Ampliamos os limites do "que é possível". E convidamos muitas pessoas a fazer o mesmo! Evidentemente, não podemos viver o *tempo todo* no estado fundamental. Precisamos comer. Precisamos dormir. Precisamos pagar contas e esvaziar a lixeira. De vez em quando, precisamos dar uma parada para reabastecer. Mas podemos fazer uma coisa: treinar nossa mente e emoções para visitarem aquele lugar "fundamental" — o lugar onde a chama de nosso descontentamento santo brilha mais intensamente — com intervalos cada vez menores.

Resultados que criamos

Após a reunião sobre a aids, segui de avião para Chicago. Com a cabeça apoiada no encosto da poltrona, satisfeito por ter visto um grupo de homens e mulheres deixar o estado normal de lado e optar pelo estado fundamental, imaginei o que aconteceria se a tendência se espalhasse. Você sabe do que estou falando. O que aconteceria se pastores, empresários e empresárias, líderes de igrejas, professores, funcionários públicos e voluntários da Cruz Vermelha do mundo inteiro descobrissem seu descontentamento santo e ficassem tão comovidos com o desejo de obter resultados que honrassem a Deus a ponto de fazer a mesma coisa o tempo todo, com persistência... com esperança e com tranqüilidade?

Imagine só se os pastores e outros líderes deixassem de lado o orgulho, o medo, a necessidade de agradar e a necessidade de controlar! O que aconteceria se assumíssemos riscos maiores em vez de permanecer amarrados ao *status quo*? Ou se todos nós convidássemos nossos colegas e outros grupos para participar de uma luta com o objetivo de encontrar um propósito em vez de uma solução de problemas... em vez de perguntar *"O que queremos?"*, perguntar *"Que resultados queremos criar?"*.

Que tal se os líderes e as equipes juntassem as mãos num só ideal para que a confiança fosse acelerada, a responsabilidade aumentasse, a culpa fosse banida e o aprendizado por meio de tentativas e erros fosse aceitável?

Que tal se os líderes de igrejas de todos os temperamentos e níveis de conhecimento de todas as denominações *abrissem bem os olhos* para os alertas do Espírito Santo e dissessem: "Deus, precisamos de tua mente para tomar as decisões, e dizemos "sim" desde já a tudo o que nos ordenares!".

Amigo, você pode imaginar o que aconteceria nas empresas, igrejas e nas famílias do mundo inteiro se todos nós levássemos a sério a idéia de viver no estado fundamental? Sou suficientemente ingênuo para acreditar que isso seja possível. Acredito que todos nós viveremos melhor se virmos o que deve ser feito e trabalharmos como loucos para transformar o que vimos em realidade.

Conforme você já deve ter notado, creio que o estado fundamental seja uma condição verdadeira. Acima de tudo, creio que o estado fundamental seja aquele no qual a chama interior e brilhante de seu descontentamento santo está escondida! Ali, os limites se ampliam. Ali, as capacidades de liderança aumentam. Ali, o medo desaparece. Ali, as inseguranças são eliminadas. Ali, a busca pela paixão se esclarece. E a depressão é convidada a sair de mansinho.

Se pudéssemos decidir com que freqüência deveríamos entrar no estado fundamental, concordaríamos que quanto mais vezes melhor, para que a esperança que Deus nos ordenou espalhar neste mundo quebrantado não morra antes de chegarmos lá. Combinado?

8

O propósito da esperança

Nos últimos anos, ao observar pessoas exercitando seu descontentamento santo, um pormenor causou-me surpresa: a maioria não se entregou a essa paixão apenas por algumas semanas ou meses, mas, em alguns casos, por *décadas* a fio. Elas prosseguem, prosseguem e prosseguem, aparentemente sem se cansar de lutar pela causa que abraçaram.

Este é um exemplo perfeito do que acabo de descrever: recentemente, fui convidado para participar de um culto numa igreja dirigida pelo mesmo pastor há cinqüenta anos. *Cinqüenta* anos!

Ele se levantou para falar e, depois de três minutos, o tom de voz foi subindo gradativamente, o movimento dos braços intensificou-se e gotas de suor começaram a brotar na testa. O homem parecia uma panela de pressão, prestes a explodir. Repito, ele faz isso há cinco décadas. Eu diria que o tempo o desgastara, mas nem pensar! Ele continua entusiasmado como sempre... *empenhado* como sempre em levar o rebanho a ter fé em Deus.

Da mesma forma, no caso de pessoas que se dedicam a cuidar dos pobres, eu esperava encontrá-las em frangalhos, em razão das condições deploráveis nas quais trabalham. Evidentemente, com o passar do tempo elas se abatem e desanimam... e, claro, esmorecem e ficam desnorteadas.

Quanto àquelas que tentam resolver o complexo dilema da aids, eu esperava encontrá-las completamente arrasadas.

E as que estão tentando implantar igrejas e ajudar o povo a aproximar-se de Deus, eu esperava vê-las sem rumo, desalentadas ou prestes a jogar a toalha.

Eu pergunto: diante de realidades tão esmagadoras, não deveria haver motivos de sobra para essa gente que vai atrás de seu descontentamento santo sucumbir ao desespero que, inevitavelmente, surge depois de gastar tanto tempo e energia lutando para chegar ao alto do monte?

Maior é aquele que está em você

Lemos em 1João 4.4 que "aquele que está em vocês é maior do que aquele que está no mundo". A mensagem destina-se aos seguidores de Cristo. É por causa dessa verdade que, sejam quais forem os acontecimentos no decorrer da jornada, você não permitirá que a tarefa inacabada, a altura do monte ou a profundeza dos males da sociedade o desanimem. Se continuar a acreditar que, com Deus, todas as coisas *são* possíveis, você e as pessoas de sua esfera de influência deverão perseverar todos os dias para manter o nível de fé e otimismo o mais alto possível. Em outras palavras, você não pode deixar-se levar pelo abatimento.

Você não pode permitir que a parte "descontente" de seu descontentamento santo o deixe desanimado ou deprimido. Acredite em mim: eu quase abandonei o jogo em duas ocasiões por causa de minha paixão pelo ministério e aprendi que o caminho é (muito) árduo. Seja qual for o sofrimento, o risco, a decepção ou os contratempos relacionados a alimentar o descontentamento santo, *não podemos* deixar a esperança morrer.

O propósito da esperança

Uma das lições mais preciosas extraídas daqueles tempos difíceis demais foi que sou a única pessoa capaz de manter minha esperança em nível sempre elevado. Da mesma forma, só *você* é capaz de manter sua esperança em nível sempre elevado. Em outras palavras, estou falando de *autoliderança*. Claro, seria ótimo transferir aquela pequena tarefa a seu chefe, amigo, parente, conselheiro, professor, colega ou pastor, mas eles não podem fazê-la por você; a questão é entre você e Deus, e mais ninguém.

Se sua esperança estiver em declínio, eu gostaria de apresentar-lhe duas sugestões para incentivá-lo a não desistir.

Primeira, verifique até que ponto você acredita em seu descontentamento santo. Se seu descontentamento santo gira em torno de implantar uma igreja evangelizadora, pergunte a si mesmo: "Eu continuo a acreditar de todo o coração que as pessoas perdidas precisam realmente ser encontradas?". Se seu descontentamento santo estiver relacionado a ministério para crianças, pergunte a si mesmo: "Eu acredito sinceramente que, depois de terem recebido cuidados médicos e atenção, as crianças que foram violentadas ou maltratadas poderão recuperar-se?". Se ele se concentrar em ajudar mulheres, pergunte: "Eu acredito que as mães solteiras e desempregadas podem se reequilibrar?". Se tiver o objetivo de atender às necessidades do povo da África, pergunte: "Eu acredito — sinceramente, de verdade — que os pobres podem livrar-se da pobreza de várias gerações?".

Se sua resposta for negativa, recomendo que você cancele todos os planos para o dia de hoje e passe alguns momentos a sós com Deus. Suplique a ele que o abasteça com seu Espírito, com o desejo ardente de sair em busca de seu descontentamento santo e com fé inabalável! Para o seu bem — e para o bem das pessoas à sua volta — você precisa reforçar a fé *todos os dias*.

Segunda, para renovar a esperança você precisa verificar se há vazamento de energia em sua vida. Todo aquele vigor murchou enquanto você estava apenas *considerando* a idéia de sair em busca do descontentamento santo? Você está dedicando todo o seu estoque de energia em favor de causas menos importantes? Está passando tempo de maneira desordenada com coisas complicadas que tomam conta de seu mundo?

Amigo, quando os ombros do líder se curvam, os ombros dos liderados também começam a curvar-se. Se você estiver com os ombros caídos, não demorará muito para ver todos à sua volta abatidos e desanimados. Você tem uma responsabilidade *muito grande* a esse respeito, porque, quando o líder perde a esperança, o jogo termina e a causa é derrotada. Por favor, não permita que isso aconteça com você!

Esse assunto de autoliderança — a questão de manter a energia no nível mais alto possível — é absolutamente crítico porque o amigo, a criança ou o funcionário sob sua liderança segue seu exemplo. Repito: *todos* seguem seu exemplo.

A boa notícia é esta: quando você se atira em direção a seu descontentamento santo com paixão, otimismo e energia sem limites, passa a contagiar todos ao redor! Esse é o modo positivo de vida magnética, em sua forma mais pura. E não dá para imaginar o que Deus fará com um grupo de companheiros que se unem, determinados a extrair o que há de melhor dos pensamentos, idéias e das ações de cada um, com o firme propósito de consertar o que estiver quebrado neste mundo. De acordo com Erwin McManus, é *nesse* contexto que a verdadeira grandeza se livra de todas as suas amarras.[1]

---

[1] Erwin McManus. *The Barbarian Way*. Nashville: Nelson, 2005, p. 134.

O propósito da esperança

Tomando a atitude certa

Há muitas coisas em jogo neste mundo despedaçado. Enquanto você tira conclusões acerca das condições de nossos tempos modernos, eu pergunto se gostaria de que Deus lhe falasse a respeito de seu descontentamento santo. Você gostaria de que Deus o conduzisse na tarefa de descobrir o que não é capaz de agüentar — o que o deixa arrasado interiormente?

Não esqueça que existe uma razão para você ter sido criado como foi. Há um motivo para ter sofrido o que sofreu. Há um motivo para ter viajado para onde viajou. E Deus está procurando alguém *exatamente como você* para começar a consertar este mundo despedaçado.

Talvez você saiba qual é esse descontentamento santo. Rogo-lhe que se comprometa a orar para ter mais clareza sobre a visão que Deus pode fazer nascer desse descontentamento santo. Seja ele qual for, decida hoje mesmo que fará de tudo para alimentá-lo!

Ou talvez você tenha sentido um ataque de frustração tempos atrás que o compeliu a trabalhar em prol do Reino, mas deixou o sonho morrer. Eu o incentivo a repensar no assunto e entrar no jogo. Lembre-se daquela conversa ao lado da sarça em chamas que o conduziu em tempos passados.

Ou talvez você precise simplesmente esticar o pescoço e correr atrás de um risco maior. Será necessário entrar no "estado fundamental", no qual você receberá novo ânimo para efetuar mudanças de alto risco e sentirá entusiasmo para movimentar todas as engrenagens em busca de um ideal que valha a pena.

Amigo, em que *outra* vida você vai poder fazer tudo isso? Todos nós temos uma chance, uma só, de deixar um legado — uma marca definitiva neste mundo que reflita nossa decisão de ir em busca de nossas áreas de descontentamento santo em vez de nos afastar delas. Um legado que diga: "Deus confiou-me a tarefa de levar a mensagem de esperança a um mundo sofrido, fragmentado e carente, e só vou descansar depois de cumprir minha missão".

Quando tomamos essa decisão, mostramos ao mundo que o atual estado de coisas *não* determina as possibilidades que a vida oferece. Podemos terminar de modo diferente do que começamos, amigo. Podemos.

Podemos.

Todos os anos, eu reservo um tempo em dezembro para avaliar os últimos doze meses. Essa prática causou-me um impacto muito forte no ano de 2005 enquanto eu me lembrava dos grandes momentos de comemoração e também das situações mais difíceis que enfrentei. Houve dias *muito* penosos, dos quais não gosto de me lembrar. Mas houve também coisas boas, como a comemoração do 30º aniversário da Willow.

Quando penso nisso mais a fundo, vejo que houve apenas um momento no ano inteiro que posso qualificar como a época em que estive *mais* esperançoso, *mais* inspirado e *mais* ligado a Deus, por assim dizer. Recentemente, um amigo ofereceu-me uma fotografia emoldurada que guardo em meu escritório. Foi tirada enquanto eu fazia uma gravação em vídeo na África — sem dúvida, meu "ponto mais alto" de 2005.

A Willow trabalha muito com vários parceiros no continente africano. No início de dezembro, eu estava filmando algumas cenas que seriam exibidas nos telões de nosso auditório principal pouco antes do Natal para conseguir apoio mais amplo à luta pela erradicação do vírus HIV. Estávamos filmando num pequeno vilarejo em Zâmbia, o mesmo vilarejo onde Jude trabalha, e o pessoal da Willow havia decidido ajudar seus moradores com um programa de alimentação. Nesse vilarejo, há crianças que morreriam de fome sem a "refeição de farinha" que lhes enviamos; essa é a única alimentação consistente que recebem diariamente.

Um dia, durante a filmagem, dirigi-me ao centro de distribuição de alimentos para ajudar os voluntários a entregar as sacolas de comida. Vi uma viúva, ainda jovem, com quatro crianças pequenas ao redor. Descobri, mais tarde, que duas eram órfãs de pais aidéticos e, agora, eram cuidadas pela viúva. A temperatura externa passava de 32º C, e a mulher havia permanecido de quatro a cinco horas na fila, sob o sol causticante do meio-dia, para receber uma sacola de comida.

Cada sacola pesava mais de 20 quilos e, só de olhar para aquela mulher franzina, eu diria que ela própria não chegava a pesar 40 quilos. Continuei parado, observando a fila caminhar a passos lentos, e me perguntei como aquela mulher carregaria um peso tão grande até sua casa. Naquele momento, a equipe de filmagem fez um breve intervalo. Virei-me para um morador da localidade que entendia um pouco de inglês e perguntei:

— Como aquela mulher vai fazer para levar a sacola até a casa dela?

— Vai arrastá-la — ele respondeu. — Ou vai encontrar outra maneira... afinal, eles estão em *cinco*.

Aquilo me pareceu um absurdo.

— Estou no horário de descanso — eu disse ao ver a mulher colocar a sacola no chão e começar a arrastá-la pela estrada de terra. — Vou carregar a sacola para ela.

— Ela mora *muito* longe.

— Você está me subestimando! — gritei sorrindo para ele, e corri para alcançar a mulher.

Ouvi a risada jovial do homem a distância, enquanto eu tentava alcançar a mulher e as crianças. Ao chegar perto dela, curvei-me, peguei a sacola com amido de farinha — era muito mais pesada do que parecia! —, e coloquei-a no ombro.

— Eu ficaria muito feliz por poder ajudar a senhora — eu disse. — Tudo bem?

Ela pareceu aliviada, e começamos a caminhar pela estrada empoeirada em direção à sua casa.

A cada passo, eu tentava entender o que via ao redor. A estrada estava repleta de mulheres equilibrando em cima da cabeça cestos de palha, feixes de sapé e sacolas menores contendo grãos. De 30 em 30 metros, eu via algumas mulheres debruçadas sobre torneiras enferrujadas tentando tirar o pó e a sujeira de suas roupas encardidas, sem sabão, apenas com água aparentemente contaminada.

Havia um sem-número de crianças andando a esmo; algumas, ainda pequenas, carregavam bebês amarrados às costas. Poucos adultos em volta prestavam atenção ao choro de alguns bebês. É por isso que a maioria das crianças daquele vilarejo é estranhamente silenciosa. Fitei aqueles olhinhos negros enquanto seguia o caminho, carregando nos ombros a pesada sacola com amido de farinha. Meu coração dizia o tempo todo: "Ah, rapaz... Estas crianças, *todas* elas, são preciosas aos olhos de Deus".

Senti uma tristeza profunda durante aquele percurso de mais de 1,5 quilômetro entre o centro de distribuição de alimentos e a choupana rústica. Eu pensava o tempo todo: *A diferença entre a morte e a vida para esta família está sobre meus ombros, no sentido mais literal possível.* Uma forte sensação de humildade tomou conta de mim como nunca acontecera antes. De uma forma totalmente nova, senti estar *em cadência* com Cristo, se é que você me entende. Repeti reiteradas vezes para ninguém em particular: "Isto é bom, Bill... isto é bom. Sei que há um milhão de coisas neste momento nas quais você poderia estar gastando sua energia. Mas, por favor, não desperdice este momento, porque ele amolecerá seu coração".

Chegamos, finalmente, à choupana. Sentei-me por alguns instantes com a família para orar e tentar exprimir minha solidariedade com o sofrimento deles. Enquanto conversávamos naquele local abafado e quente, com dezenas de olhos curiosos nos espiando, agradeci a Deus por tudo o que ele já havia feito naquele vilarejo.

Vi bicicletas doadas pelo pessoal de nossa igreja para que os voluntários encarregados de cuidar dos aidéticos pudessem visitar um número maior de pessoas por dia. Vi pilhas e mais pilhas de sacolas com amido de farinha à espera de serem colocadas nas mãos de pessoas agradecidas. Vi crianças vestidas com uniformes recebendo instrução escolar de boa qualidade. Acredito sinceramente que, um dia, a pobreza em Samfya — em todas as suas formas — fará parte do passado.

No lugar mais inesperado possível, e enquanto eu realizava uma tarefa mais inesperada ainda, Deus colocou em minha alma uma satisfação imensa, um tipo de satisfação que não se sente a toda hora.

Alcançando a verdadeira vida

Na caminhada em busca de seu descontentamento santo, seja na estrada empoeirada da parte mais abandonada de Zâmbia, seja no centro de Detroit ou ainda nas ruas bem cuidadas de um bairro elegante, você também terá a experiência de viver momentos sublimes e se surpreenderá com o poder e a capacidade deles para satisfazer sua alma.

O Segredo para Manter Vivo o Descontentamento Santo

Aqui está a explicação. Há uma curta passagem em 1 Timóteo que diz: "Ordene-lhes que pratiquem o bem, sejam ricos em boas obras, generosos e prontos a repartir. Dessa forma, eles acumularão um tesouro para si mesmos, um firme fundamento para a era que há de vir, e assim *alcançarão a verdadeira vida*".[2]

Alcançar a verdadeira vida: isso mesmo! Foi exatamente o que senti enquanto carregava aquela sacola no ombro. Eu estava em completa sintonia com a vontade de Deus para mim naquele momento. Estava caminhando totalmente no compasso do céu e totalmente presente aqui na Terra. Entendi que estava alcançando a verdadeira vida, e essa sensação pode ser sentida por qualquer pessoa — um marido fiel, uma mãe dedicada, um defensor ferrenho dos pobres, um meticuloso operário da construção civil, um advogado respeitável ou um empresário generoso.

Amigo, esse é o verdadeiro significado de pôr seu descontentamento santo em ação: estar onde deveria estar, fazer exatamente o que deveria fazer. E todas as vezes que sentir o pequeno sabor daquelas boas obras sendo realizadas à sua volta, você gritará com toda força: "É isso aí! Estou vivendo. Estou alcançando a verdadeira vida!".

Talvez as pessoas ao redor olhem para você com estranheza, sem entender por que você faz o que faz. Mas você dirá para si mesmo estas palavras vindas do coração: *Não sei explicar o motivo, mas esta é a minha verdadeira vida! É por isso que ainda estou respirando por aqui. Esta é a manifestação ativa de meu mais profundo descontentamento santo.*

E eu não a trocaria por nada deste mundo.

---

[2]   1 Timóteo 6.18,19.

Pós-escrito:
Não pode terminar assim!

Na primavera de 2005, fui convidado para falar num dos ofícios fúnebres mais penosos de minha vida. Muitos anos atrás, meu filho, Todd, fez amizade com um jovem de South Haven chamado Clark. Ao longo do tempo, nossas famílias se aproximaram, e passamos a gostar muito de Clark e de seus quatro irmãos, bem como de seus maravilhosos pais.

Por meio do testemunho silencioso de Todd e de suas orações constantes, finalmente chegou o dia em que Clark entregou a vida a Cristo. Todos nós testemunhamos o poder transformador de Deus na vida dele — foi inacreditável! À medida que sua fé se intensificava, Clark passou a demonstrar grande interesse em trabalhar para a igreja em tempo integral. Mas, fosse qual fosse o caminho escolhido, todos nós sabíamos que Clark era um jovem inteligente e com um futuro incrivelmente promissor.

Tudo, porém, mudou numa noite, numa estrada rural.

No dia seguinte ao terrível acidente de carro ocorrido com Clark, sua família pediu-me que falasse no ofício fúnebre. Aquela foi uma das famílias mais distintas que tive o prazer de conhecer, e senti-me honrado por ter sido escolhido para ajudá-los na hora mais difícil da vida deles.

Próximo ao dia do enterro, supliquei a Deus que me desse palavras misericordiosas para consolar os pais, os irmãos, os familiares e as centenas de amigos que estariam presentes. Apesar de Clark ter tomado a decisão de seguir a Cristo, ninguém de sua família demonstrava interesse verdadeiro por assuntos espirituais. Pelo que me contaram, fazia décadas que não participavam de nenhum trabalho na igreja. Eu sabia que minhas palavras poderiam ajudá-los a aproximar-se de Deus ou afastá-los para sempre de qualquer coisa relacionada à espiritualidade. Conforme você pode imaginar, a pressão era muito grande para eu fazer a coisa certa.

Com a ajuda de Deus, consegui realizar a parte que me cabia naquela experiência terrivelmente dolorosa. Em seguida, dirigimo-nos ao cemitério para o culto ao lado da sepultura. Por um motivo inexplicável, enquanto eu caminhava ao lado de minha esposa e filhos em direção à cobertura verde acima da sepultura de Clark, senti um aviso claro de Deus para "permanecer alerta", prestar atenção a *cada* palavra proferida e estar preparado para qualquer coisa que ocorresse no cemitério naquele dia. Foi apenas um sussurro, mas era o Espírito Santo falando comigo, tenho absoluta certeza.

A família toda estava sentada em cadeiras colocadas sob a cobertura, de frente para o caixão. Centenas de pessoas acotovelavam-se para formar um círculo em torno da família. A finalidade da morte de Clark começou a calar fundo em seus familiares no momento em que um pastor amigo deles se levantou para falar.

Eu estava entre Lynne e Todd. O sofrimento de meu filho era visível. Enquanto tentava consolar minha família — e a mim próprio —, continuei a ouvir o Espírito Santo dizer com clareza cristalina: "Prepare-se, Bill. Prepare-se".

Não pode terminar assim!

Aquele aviso não fazia nenhum sentido para mim, porque minha parte na cerimônia já terminara. Voltei a prestar atenção às palavras do pastor no momento em que ele começou a recitar a liturgia sobre a volta do homem ao pó, extraída de um livrete em suas mãos. Assim que ele terminou de falar, o caixão foi baixado lentamente à sepultura.

Em questão de minutos, tudo estava terminado. Clark não mais existia... ponto final.

As pessoas presentes respiraram fundo, sem saber o que fazer ou dizer naquele momento tão delicado. De repente, os familiares entraram em desespero. Não conseguiram conter o sofrimento por mais tempo, e por todo o cemitério só se ouviam soluços partindo de uma família com o coração despedaçado. Em seguida, os homens, as mulheres e as crianças sob a cobertura verde também começaram a chorar. Atordoado, eu também compartilhava os sentimentos daquelas pessoas. Ninguém sabia o que pensar nem como ajudar. A cerimônia havia chegado ao fim, mas ninguém saiu do lugar. *Ninguém*. Havia alguma coisa errada ali.

Depois de alguns instantes que me pareceram uma eternidade, o pai de Clark levantou-se, contornou a sepultura e começou a procurar alguém no meio do povo. Ao me ver, ele veio em minha direção, abraçou-me e chorou em meu ombro. Em meio aos soluços, disse em voz baixa:

— Bill, não pode terminar assim. Por favor! Não pode terminar assim!

Naquele instante, entendi o aviso do Espírito Santo para eu permanecer alerta.

Suspirei fundo e acompanhei o pai de Clark até sua cadeira. Consegui recompor-me e disse:

— O sr. Spencer pediu-me que orássemos mais uma vez.

Pós-escrito

Naquele silêncio tão grande era possível ouvir um pingo d'água.

Abri a boca e comecei a conversar com Deus da maneira mais simples e mais sincera possível. Não estava preparado para aquela oração, mas Deus foi colocando as palavras em minha mente, uma após outra. Palavras cheias de promessas. Palavras cheias de esperança. Palavras intrépidas para transmitir as promessas e esperança aos familiares e amigos de Clark, porque, graças à ressurreição de Jesus Cristo e à fé de Clark em Cristo, sua alma já estava do outro lado. Ele já estava na presença de Deus! Em Cristo, ele, sua família e amigos se reuniriam um dia, por toda a eternidade. As pessoas de todo tipo de vida e de toda espécie de passado poderiam ter um futuro novo, um futuro na presença eterna de Deus.

— As portas do Reino estão abertas — eu lhes disse naquele dia, enquanto orava fervorosamente por vários minutos — para cada um aqui presente.

Na mesma tarde, durante uma reunião de solidariedade à família, o pai de Clark agradeceu cinco vezes a esperança que transmiti aos presentes no culto ao lado da sepultura.

— Não podia terminar daquele jeito, Bill... não *podia* terminar assim — ele não se cansava de dizer.

O pai de Clark estava certo.

Naquela noite, dormi com estas palavras ressoando em meus ouvidos, as palavras que o pai de Clark murmurou entre lágrimas: "Não pode terminar assim!".

Não pode terminar assim.

Não sei quanto a você, amigo, mas eu ouvi naquelas palavras um grito inequívoco de esperança. E nosso mundo despedaçado e triste está murmurando palavras semelhantes a todos nós que falamos em nome de Cristo. "Precisa terminar assim?"

Nosso mundo está perguntando: as trevas e o mal prevalecerão? O povo será sempre governado por tiranos? A aids continuará a espalhar-se? Precisa terminar assim?

A pobreza aumentará? O racismo vencerá um dia? A violência e a guerra persistirão? Os famintos e sem-teto continuarão a multiplicar-se? As igrejas continuarão a fechar as portas e a colocar placas de "Vende-se" na frente delas? Os casamentos continuarão a dissolver-se? A depressão continuará a tirar a alegria das pessoas? Precisa terminar assim?

É esse o destino da raça humana?
É em torno disso que a vida gira?
É assim que tudo terminará?
Precisa terminar assim?

Amigo, creio que quem sussurra essas perguntas merece nossa *melhor* resposta. Eu não sei como você as responderia, mas certamente minha resposta seria: "*Não!* Não precisa terminar assim! De jeito nenhum!".

Sim, eu creio. Creio que em Cristo, por intermédio de Cristo e por causa de Cristo é claro que não precisa terminar assim! Permita-me lembrar a você — sim, a você, um seguidor de Cristo — que somos os portadores da única mensagem no planeta Terra que pode atender à maior necessidade do povo: a mensagem de esperança.

Esperança de que os pecados sejam perdoados. Esperança de que as orações sejam respondidas. Esperança de que as portas da oportunidade, aparentemente trancadas, sejam abertas. Esperança de que os relacionamentos desfeitos sejam restabelecidos. Esperança de que os enfermos sejam curados. Esperança de que

Pós-escrito

a verdade destruída seja restaurada. Esperança de que as igrejas mortas sejam ressuscitadas.

Em outras palavras, realmente não precisa terminar assim.

Mais que *todas as outras* pessoas, nós precisamos reafirmar essa esperança, viver nela e irradiá-la para os outros. E precisamos proclamar a mensagem de esperança a todas as pessoas que, pela graça de Deus, podemos influenciar. É por isso que Deus nos capacita a transmitir energia, coragem e criatividade às pessoas a nossa volta que tanto necessitam delas. E isso só ocorre quando vamos atrás de nosso descontentamento santo... para que a esperança não morra, para que possamos olhar firme para nossos amigos exaustos e familiares abatidos e dizer: "Não precisa terminar assim. Porque com Cristo na equação pode terminar muito melhor".

Descubra o que você não é capaz de agüentar. Canalize a energia de seu descontentamento santo para ajudar a consertar o que está quebrado nesta vida. Permita que sua busca apaixonada grite ao mundo: "Não precisa terminar assim! De jeito nenhum!".

E espere para ver...

Informações úteis

Pronto para descobrir seu descontentamento santo? Talvez uma destas organizações possa ajudá-lo a seguir na direção certa:

- Cruz Vermelha Americana — http://www.redcross.org
- DATA (Debt AIDS Trade Africa) — http://www.data.org
- Good Sense Ministry — http://www.goodsenseministry.com
- Habitat for Humanity — http://www.habitat.org
- ONE: The Campaign to Make Poverty History — http://www.one.org
- Volunteers of America — http://www.voa.org
- The WCA Leadership Summit — http://www.willowcreek.com/conferences
- World Vision — http://www.worldvision.org
  Sua igreja!

Esta obra foi composta em *Agaramond*
e impressa por Exklusiva sobre papel
Offset 63 g/m² para Editora Vida.